D1045336

14

DU MÊME AUTEUR

LE MÉRIDIEN DE GREENWICH, *roman,* 1979
CHEROKEE, *roman,* 1983, ("double", n° 22)
L'ÉQUIPÉE MALAISE, *roman,* 1986, ("double", n° 13)
L'OCCUPATION DES SOLS, 1988
LAC, *roman,* 1989, ("double", n° 57)
NOUS TROIS, *roman,* 1992, ("double", n° 66)
LES GRANDES BLONDES, *roman,* 1995, ("double", n° 34)
UN AN, *roman,* 1997
JE M'EN VAIS, *roman,* 1999, ("double", n° 17)
JÉRÔME LINDON, 2001
AU PIANO, *roman,* 2003
RAVEL, *roman,* 2006
COURIR, *roman,* 2008
DES ÉCLAIRS, *roman,* 2010

JEAN ECHENOZ

14

m

LES ÉDITIONS DE MINUIT

L'ÉDITION ORIGINALE DE CET OUVRAGE A ÉTÉ TIRÉE À QUATRE-VINGT-DIX-NEUF EXEMPLAIRES SUR VERGÉ DES PAPETERIES DE VIZILLE, NUMÉROTÉS DE 1 À 99 PLUS NEUF EXEMPLAIRES HORS COMMERCE NUMÉROTÉS DE H.-C. I À H.-C. IX

www.leseditionsdeminuit.fr

ISBN : 978-2-7073-2257-9

1

Comme le temps s'y prêtait à merveille et qu'on était samedi, journée que sa fonction lui permettait de chômer, Anthime est parti faire un tour à vélo après avoir déjeuné. Ses projets : profiter du plein soleil d'août, prendre un peu d'exercice et l'air de la campagne, sans doute lire allongé dans l'herbe puisqu'il a fixé sur son engin, sous un sandow, un volume trop massif pour son porte-bagages en fil de fer. Une fois sorti de la ville en roue libre, pédalé sans effort sur une dizaine de kilomètres plats, il a dû se dresser en danseuse quand une colline s'est présentée, se balançant debout de gauche à droite en commençant de suer sur son engin. Ce n'était certes pas une grosse colline, on sait jusqu'où montent ces hauteurs en Vendée, juste une légère butte mais assez saillante pour qu'on pût y bénéficier d'une vue.

Anthime arrivé sur cette éminence, un coup de vent tapageur s'est brutalement levé qui a manqué faire s'enfuir sa casquette puis déséquilibrer sa bicyclette – un solide modèle Euntes conçu par et pour des ecclésiastiques, racheté à un vicaire devenu goutteux. Des mouvements d'air d'une aussi vive, sonore et brusque ampleur sont plutôt rares en plein été dans la région, surtout sous un soleil pareil, et Anthime a dû mettre un pied à terre, l'autre posé sur sa pédale, le vélo légèrement penché sous lui pendant qu'il revissait la casquette sur son front dans le souffle assourdissant. Puis il a considéré le paysage autour de lui : villages éparpillés alentour, champs et pâturages à volonté. Invisible mais là, vingt kilomètres à l'ouest, respirait aussi l'océan sur lequel il lui était arrivé d'embarquer quatre ou cinq fois même si, ne sachant guère pêcher, Anthime n'avait pas été bien utile aux camarades ces jours-là – sa profession de comptable l'autorisant quand même à tenir le rôle toujours bienvenu de relever et dénombrer les maquereaux, merlans, carrelets, barbues et autres plies au retour à quai.

Nous étions au premier jour d'août et Anthime a laissé traîner un coup d'œil sur le panorama : depuis cette colline où il se trouvait seul, il a vu s'égrener cinq ou six bourgs, conglomérats de maisons basses agglutinées sous un beffroi, raccordés par un fin réseau routier sur lequel circulaient moins de très rares automobiles que de chars à bœufs et de chevaux attelés, transportant les moissons céréalières. C'était sans doute un plaisant paysage, quoique momentanément troublé par cette irruption venteuse, bruyante, vraiment inhabituelle pour la saison et qui, contraignant Anthime à maintenir sa visière, occupait tout l'espace sonore. On n'entendait rien d'autre que cet air en mouvement, il était quatre heures de l'après-midi.

Comme ses yeux passaient distraitement de l'un à l'autre de ces bourgs, est alors apparu à Anthime un phénomène inconnu de lui. Au sommet de chacun des clochers, ensemble et d'un seul coup, un mouvement venait de se mettre en marche, mouvement minuscule mais régulier : l'alternance régulière d'un carré noir et d'un carré blanc, se succédant toutes les deux ou trois secondes, avait commencé de se déclencher comme une lumière alternative, un clignotement binaire rappelant le clapet automatique de certains appareils à l'usine : Anthime a considéré sans les comprendre ces impulsions mécaniques aux allures de déclics ou de clins d'œil, adressés de loin par autant d'inconnus.

Puis, s'arrêtant aussi net qu'il avait surgi, le grondement enveloppant du vent a soudain laissé place au bruit qu'il avait jusqu'ici couvert : c'étaient en vérité les cloches qui, venant de se mettre en branle du haut de ces beffrois, sonnaient à l'unisson dans un désordre grave, menaçant, lourd et dans lequel, bien qu'il n'en eût que peu d'expérience car trop jeune pour avoir jusque-là suivi beaucoup d'enterrements, Anthime a reconnu d'instinct le timbre du tocsin – que l'on n'actionne que rarement et duquel seule l'image venait de lui parvenir avant le son.

Le tocsin, vu l'état présent du monde, signifiait à coup sûr la mobilisation. Comme tout un chacun mais sans trop y croire, Anthime s'y attendait un peu mais n'aurait pas imaginé que celle-ci tombât un samedi. Sans aussitôt réagir, il est resté moins d'une minute à écouter les cloches se bousculer solennellement puis, redressant son engin et posant le pied sur sa pédale, il s'est laissé glisser le long de la pente avant de prendre la direction de son domicile. Un cahot brusque et, sans qu'Anthime s'en aperçût, le gros livre est tombé du vélo, s'est ouvert dans sa chute pour se retrouver à jamais seul au bord du chemin, reposant à plat ventre sur l'un de ses chapitres intitulé *Aures habet, et non audiet*.

Dès son entrée en ville, Anthime a commencé de voir les gens sortir de leurs maisons et s'assembler par lots avant de converger vers la place Royale. Les hommes semblaient nerveux, fébriles dans la chaleur, se tournaient en s'interpellant, faisaient des gestes gauches et plus ou moins sûrs d'eux. Anthime est passé ranger son vélo chez lui avant de rallier le mouvement général confluant à présent de toutes les artères vers la place où s'agitait une foule souriante, brandissant drapeaux et bouteilles, gesticulant et se pressant, laissant à peine d'espace aux voitures à chevaux qui déjà transportaient des groupes. Tout le monde avait l'air très content de la mobilisation : débats fiévreux, rires sans mesure, hymnes et fanfares, exclamations patriotiques striées de hennissements.

De l'autre côté de la place où se tenait un marchand de soieries, au coin de la rue Crébillon et par-delà cette affluence animée, rouge de ferveur et de sueur, Anthime a distingué la silhouette de Charles dont il a tenté de croiser, à distance, le regard. N'y parvenant pas, il a entrepris de se frayer un chemin vers lui parmi les personnes. Se tenant en marge de l'événement, vêtu comme dans son bureau à l'usine d'un costume ajusté sur une étroite cravate claire, Charles posait son regard inaffectif sur la presse, son appareil photo Rêve Idéal de chez Girard & Boitte pendu comme d'habitude à son cou. Avançant dans sa direction, Anthime a dû se forcer à se raidir et se détendre en même temps, tâche antinomique mais nécessaire pour vaincre l'espèce d'embarras intimidé que la présence de Charles, quoiqu'il advînt, faisait naître en lui. L'autre l'a regardé à peine en face, déviant ses yeux vers la chevalière qu'Anthime portait au petit doigt.

Tiens, a dit Charles, c'est nouveau. Et tu la portes à la main droite, alors. Ça se met plutôt à gauche en général. Je sais, a reconnu Anthime, mais ce n'est pas pour faire joli, c'est mon poignet qui me fait mal. Ah oui, a condescendu Charles, et ça ne te gêne pas pour serrer la main des gens. J'en serre très peu, a indiqué Anthime, et puis je te dis, c'est pour ces douleurs que j'ai à droite dans le poignet, ça les calme. C'est un peu lourd mais ça marche bien. C'est une chose magnétique, si tu veux. Magnétique, a répété Charles dans un atome de sourire, expirant un autre atome d'air par le nez, secouant la tête en haussant une épaule et détournant les yeux – ces cinq motions en une seconde, et Anthime s'est encore senti humilié.

Alors, a-t-il essayé d'enchaîner en désignant du pouce un groupe qui agitait des pancartes, tu en penses quoi. C'était inévitable, a répondu Charles, clignant l'un de ses yeux froids pour coller l'autre à son viseur, mais c'est l'affaire de quinze jours tout au plus. Ça, s'est permis d'objecter Anthime, je n'en suis pas si sûr. Eh bien, a dit Charles, nous verrons cela demain.

2

Et le lendemain matin, on s'est tous retrouvés à la caserne. Anthime s'y est rendu de très bonne heure, ayant rejoint en chemin ses camarades de pêche et de café, Padioleau, Bossis, Arcenel – ce dernier se plaignant à mi-voix d'avoir fêté l'événement trop tard la veille : hémorroïdes et gueule de bois. Padioleau, sujet frêle, un peu timide, visage maigre et cireux, affichait tout le contraire d'une prestance de garçon boucher quand c'était, justement, son métier. Bossis, non content de détenir quant à lui un physique d'équarrisseur, l'était authentiquement, Arcenel exerçant pour sa part la profession de bourrelier qui ne suppose pas d'habitus particulier. Ces trois-là, en tout cas, s'intéressaient beaucoup aux animaux chacun à sa manière, en avaient beaucoup vu, allaient en rencontrer pas mal d'autres.

Comme tous les premiers arrivés, ils ont eu droit à un uniforme à leur taille alors qu'en fin de matinée le retard de Charles, toujours hautain et détaché, lui a d'abord valu une tenue mal ajustée. Mais vu qu'il protestait avec dédain, faisant arrogamment toute une histoire en excipant de son état de sous-directeur d'usine, on a réquisitionné sur d'autres – Bossis en l'occurrence ainsi que Padioleau – une capote et un pantalon rouge qui ont paru convenir au notable malgré son expression d'écœurement distant. Padioleau, de ce fait, s'est retrouvé nageant follement dans sa capote cependant que Bossis ne pourrait jamais plus, le temps qui lui restait à vivre, s'adapter à ce pantalon.

Sujet de taille moyenne et au visage commun, rarement souriant, barré d'une moustache comme à peu près tous les hommes de sa génération, vingt-trois ans, portant son uniforme neuf sans plus de prestance que sa tenue quotidienne utilitaire, Anthime a envisagé d'aller parler à Charles – vingt-sept ans quant à lui, non moins inexpressif ni moustachu mais plus fringant, plus grand, plus élancé, portant son regard calme et glacé sur le monde, paraissant plus que jamais soigneux d'éviter le contact et ne considérant qui que ce fût d'un rang moindre, dont sans doute Anthime entre tous. Celui-ci a donc préféré s'abstenir et rejoindre les copains, ne fût-ce que pour apaiser Bossis qui pestait contre son pantalon. Se retournant quand même une fois vers Charles, Anthime l'a vu extraire un cigare de son étui qu'il allait remettre dans sa poche puis, se ravisant, en a retiré un autre pour l'offrir discrètement au plus proche officier. Puis il l'a vu photographier cet officier comme il photographiait, depuis des mois, tout ce qui lui tombait sous la main, se perfectionnant dans cet exercice jusqu'à voir acceptées depuis peu certaines de ses images dans des revues ouvertes aux clichés d'amateurs telles que *Le Miroir* et *L'Illustration*.

Les jours suivants, tout est allé assez vite à la caserne. Après l'arrivée des derniers réservistes, on a reçu les territoriaux, de vieux types de trente-quatre à quarante-neuf ans qu'on a tout de suite sommés de payer leur tournée, et à vrai dire du lundi au jeudi ces tournées se sont succédé à bon rythme : les fins de soirées, personne n'était très frais. Puis les choses ont pris un tour plus sérieux quand on a constitué les escouades : Anthime s'est vu affecté dans la 11ᵉ escouade de la 10ᵉ compagnie, appartenant dans un ordre croissant au 93ᵉ régiment d'infanterie, 42ᵉ brigade, 21ᵉ division d'infanterie et 11ᵉ corps d'armée de la 5ᵉ armée. Matricule 4221. Les munitions ont été distribuées avec les vivres de réserve et, dans la soirée de ce jour-là, tout le monde a encore pas mal bu. C'est le lendemain qu'on a commencé de se sentir des soldats : au matin, le régiment a fait une première marche avant d'être passé en revue par le colonel sur le terrain de manœuvres puis de défiler en ville l'après-midi, en attendant de prendre le train.

C'était plutôt gai, ce défilé, chacun droit dans son uniforme s'efforçait de regarder droit devant lui. Le 93e a traversé l'avenue puis les grandes rues de la ville, au bord desquelles se massait la population qui ne lésinait pas sur les acclamations, les jets de fleurs et les encouragements. Charles s'était naturellement débrouillé pour occuper le premier rang de la troupe, Anthime suivant à mi-longueur du régiment entouré de Bossis toujours mal à l'aise dans son vêtement, d'Arcenel qui ne cessait de se plaindre de son derrière et de Padioleau dont la mère avait eu le temps de pincer la capote aux épaules et de raccourcir ses manches. Comme il marchait tout en blaguant à mi-voix avec les autres, tâchant cependant de mesurer fièrement son pas, Anthime a cru distinguer Blanche sur le trottoir gauche de l'avenue. Il a d'abord pensé que c'était une ressemblance et puis non, c'était elle, Blanche, habillée comme pour un jour de fête, jupe rose légère et corsage mauve de saison. Pour s'armer contre le soleil, elle avait déployé sur son corps un large parapluie noir pendant qu'on exsudait en cadence sous le képi neuf qui serrait dur les tempes, sous le sac sanglé selon les consignes et qui, ce premier jour, ne pesait pas encore trop sur les clavicules.

Comme il s'y attendait, Anthime a d'abord vu Blanche porter vers Charles un sourire fier de son maintien martial puis, comme il arrivait à sa hauteur, cette fois non sans surprise il a reçu d'elle une autre variété de sourire, plus grave et même, lui a-t-il semblé, un peu plus ému, soutenu, prononcé, va savoir au juste. Il n'a pas vu ni tenté de voir comment Charles, de toute façon de dos, répondait à ce sourire mais lui, Anthime, n'y a réagi que par un regard, le plus court et le plus long possible, se forçant à le charger du moins d'expression disponible tout en en suggérant le maximum – nouvel exercice cette fois doublement antinomique et qui, tout en se contraignant à tenir le pas, n'était pas une petite affaire. Puis après qu'on a dépassé Blanche, Anthime a préféré ne plus regarder les autres gens.

À la gare, tôt le matin du jour suivant, Blanche était encore là, sur le quai parmi la foule agitant de petits drapeaux, des garçons traçaient à la craie *À Berlin* sur les flancs de la motrice, quatre ou cinq cuivres déclinaient de leur mieux l'hymne national. Des chapeaux, des foulards, des bouquets, des mouchoirs s'agitaient en tous sens, des paniers de provisions passaient par les fenêtres des wagons, on serrait dans ses bras des enfants, des vieillards, des couples s'étreignaient, des larmes s'écrasaient sur les marchepieds – comme on peut le voir de nos jours à Paris sur la vaste fresque d'Albert Herter, dans le hall Alsace de la gare de l'Est. Mais dans l'ensemble tout le monde souriait avec confiance puisque tout cela serait à l'évidence très bref, on allait revenir vite – et, de loin, par-dessus l'épaule de Charles serrant Blanche dans ses bras, Anthime a vu celle-ci poser encore une fois ce même regard sur sa propre personne. Ensuite il a fallu monter dans le train et une semaine s'était juste écoulée depuis son petit tour à vélo que, parti de Nantes samedi à six heures du matin, Anthime est arrivé lundi dans les Ardennes en fin d'après-midi.

3

Dimanche matin, Blanche s'est éveillée dans sa chambre, à l'étage d'une imposante demeure comme en possèdent les notaires ou les députés, les officiers publics ou directeurs d'usine : la famille Borne dirige l'usine Borne-Sèze et Blanche en est la fille unique.

Il règne une drôle d'ambiance disharmonieuse dans cette chambre, pourtant si calme et bien rangée. Sur son papier peint fleuri légèrement décentré, des cadres enserrent des scènes locales – barges sur la Loire, vie des pêcheurs à Noirmoutier – et les meubles témoignent d'un effort de diversité forestière tel un arboretum : bonnetière à miroir en noyer, bureau en chêne, commode en acajou et placages de bois fruitier, le lit est en merisier et l'armoire en pitchpin. Drôle d'atmosphère, donc, dont on ne sait si elle tient à la disjonction – inattendue dans une maison bourgeoise en principe soigneusement tapissée – des lais de ce papier peint passé dont les bouquets fanent en mesure, ou à cette surprenante variété mobilière de bois : on se demande d'abord comment des essences si diverses peuvent s'entendre entre elles. Et puis on le sent très vite, elles ne s'entendent pas bien du tout, elles ne peuvent même pas s'encaisser – d'où sans doute cette ambiance, cela doit venir de là.

En attendant que Blanche se lève, ces meubles patientent pour tenir leur rôle. La table de nuit – en hêtre – supporte sous une lampe quelques volumes dont *Le Peuple de la mer* de Marc Elder que Blanche feuillette parfois – moins pour sa vaillante obtention, l'an dernier, du prix Goncourt contre Marcel Proust que parce que l'auteur est un ami de la famille, sous son vrai nom de Marcel Tendron, et que cet ouvrage lui évoque les excursions dominicales dans la région, quand on va voir les pêcheurs de Noirmoutier ou les barges mouillées à Trentemoult qui font la pêche d'estuaire – civelles, anguilles, lamproies.

Blanche extraite de son lit a choisi ce qu'elle allait porter avant de faire sa toilette, retiré de la bonnetière une chemisette en batiste, de l'armoire un costume tailleur en cheviotte grise – sous-vêtements et bas dans les tiroirs de la commode sur quoi traînent deux flacons de parfum. Hésité pour les chaussures entre deux hauteurs de talons, mais pas sur son chapeau en paille de riz gansé de velours noir. Au bout d'une petite heure de salle de bains, lavée puis vêtue elle s'est considérée dans le miroir de la bonnetière pour juger de l'effet, lissant une mèche et précisant un pli. Quittant la chambre, elle est passée devant le bureau qui n'aura joué aucun rôle ce matin : il en a l'habitude, ne servant jamais à rien sauf à contenir les lettres qu'Anthime et Charles envoient régulièrement à Blanche, chacun de son côté, et dont les piles serrées par des rubans aux couleurs opposées reposent dans des tiroirs distincts.

Ainsi prête, Blanche a discrètement descendu l'escalier, au rez-de-chaussée elle a traversé le hall vers la porte d'entrée, décrivant un coude pour éviter la salle à manger. Là – ronflement rauque du couteau à pain sur la croûte, tintement de petites cuillers dans les effluves de chicorée –, ses parents achèvent leur petit déjeuner : peu d'échanges perceptibles entre Eugène et Maryvonne Borne : grondeuses déglutitions du directeur d'usine, exhalaisons mélancoliques de l'épouse du directeur d'usine. Dans le porte-parapluie d'osier doublé de toile imperméable, près de l'entrée, Blanche a saisi une ombrelle en cretonne imprimée à carreaux.

Une fois dehors, elle s'est dirigée vers l'entrée du jardin dont l'allée principale, gravier blanc attentivement peigné, se ramifie en sentiers le long des massifs, du bassin, des tonnelles et des arbres d'agrément – parmi lesquels un palmier fatigué tient le coup depuis trop longtemps sous ce climat. Elle a aussi évité, mais avec moins de précautions, la silhouette du jardinier boiteux, voûté, aussi sourd que le palmier, et qui arrose une plate-bande : elle s'est bornée à réduire le crissement du gravier jusqu'au portail en fer forgé.

Dehors, fond sonore de dimanche : tout est plus silencieux qu'en semaine, à la façon de n'importe quel dimanche mais pas seulement, pas le même silence que d'habitude, comme si restait un écho résiduel des clameurs de ces derniers jours, des fanfares et des ovations. Tôt ce matin les plus vieux employés municipaux restés en ville ont fini d'évacuer les ultimes bouquets flétris, cocardes froissées, restes de banderoles, mouchoirs trempés puis séchés avant de passer la voirie au jet. On a remisé aux objets trouvés quelques accessoires égarés, une canne, deux foulards déchirés, trois chapeaux cabossés, projetés en l'air dans la fièvre patriotique et dont on n'a pas retrouvé les porteurs légitimes : on attend qu'ils se manifestent.

C'est aussi plus calme car il y a moins de monde, notamment plus d'hommes jeunes dans les rues – ou alors des tout jeunes qui, communément certains que ce conflit sera très bref, l'ignorent et ne veulent pas s'inquiéter. Les quelques garçons de son âge croisés par Blanche, d'apparence plus ou moins souffrante, ont été déclarés inaptes, du moins pour le moment – cela pourrait être provisoire mais ils l'ignorent aussi. Les myopes, par exemple, exemptés dans un premier temps et protégés par leurs lunettes, ne songent pas un instant qu'ils pourraient bien prendre avec elles un de ces jours un train vers l'Est, si possible équipés d'une paire de rechange. Semblablement avec les sourds, les nerveux, les pieds plats. Quant à ceux qui feignent de souffrir ou qui, forts d'un appui donc réputés inaptes, n'ont même pas besoin de feindre, ceux-là préfèrent ne pas trop se montrer pour le moment. Les brasseries sont désertes, leurs garçons de café ont disparu, il revient aux patrons de balayer eux-mêmes leurs seuils et leurs terrasses. Les dimensions de la ville pneumatiquement vidée de ses hommes paraissent ainsi s'être étendues : à part les femmes Blanche n'y voit que des vieillards, des gamins, le bruit de leurs pas sonne creux dans un costume trop grand.

4

Ç'avait plutôt pas mal été non plus, dans le train, sauf le confort. Assis par terre on avait dévoré les provisions, chanté toutes les chansons possibles, conspué Guillaume et toujours bu nombre de coups. Dans la vingtaine de gares où le convoi s'était arrêté, on n'avait pas eu le droit de descendre pour jeter un coup d'œil sur les villes mais au moins, par les fenêtres aux vitres baissées laissant entrer un air trop chaud, presque solide et pointillé d'escarbilles – chaleur dont on ne savait plus si c'était celle du mois d'août ou de la locomotive, sans doute les deux se grimpant l'une sur l'autre –, on avait vu quelques aéroplanes. Certains, en vol, traversaient le ciel parfaitement lisse à des hauteurs diverses, se suivant ou se croisant sans qu'on pût supposer dans quel but, d'autres étaient posés en désordre, entourés d'hommes à bonnets de cuir, sur des champs réquisitionnés qu'on longeait.

On avait entendu parler, regardé des photos dans le journal mais personne n'en avait encore jamais vu en vrai, de ces aéroplanes d'apparence fragile, sauf sans doute Charles toujours au courant de tout, qui était même plusieurs fois monté dedans – ou plutôt dessus faute encore de carlingue – et qu'Anthime a cherché du regard, sans le trouver, dans le wagon. Le paysage souffrant ensuite de peu d'attraits, il s'est détourné de son spectacle en cherchant un moyen de tuer le temps : les cartes, dès lors, semblaient tout indiquées : en compagnie de Bossis et de Padioleau – Arcenel encore trop tourmenté par son arrière-train pour se joindre –, Anthime a pu aménager un coin pour lancer une manille au-dessous des gourdes bientôt vides et qui ballaient, pendues par leurs courroies à des crochets.

Puis, la manille à trois n'allant pas de soi, Padioleau s'endormant et Bossis dodelinant lui-même, Anthime a mis un terme au jeu et pris le parti d'aller explorer les wagons voisins, recherchant vaguement Charles sans vraie envie de le voir, le présumant seul dans un coin, toujours dédaigneux de ses semblables mais forcément au milieu d'eux. Or pas du tout : bien installé dans une voiture à sièges, il a fini par l'apercevoir assis près d'une fenêtre, photographiant le paysage, en compagnie d'une grappe de sous-officiers dont il tirait également le portrait, relevant ensuite leur adresse pour leur faire parvenir ultérieurement le cliché. Anthime s'est éloigné.

Dans les Ardennes, à peine débarqués du train, à peine a-t-on eu le temps de se faire à ce nouveau paysage – sans même savoir le nom du village où se trouvait ce premier cantonnement, ni combien de temps on allait y passer – que des sergents ont mis les hommes en rang puis le capitaine a fait un discours au pied de la croix, sur la place. On était un peu fatigués, on n'avait plus très envie d'échanger des blagues à voix basse mais on l'a quand même écouté au garde-à-vous, ce discours, en regardant les arbres d'un genre qu'on n'avait jamais vu, les oiseaux dans ces arbres commençant de s'accorder, s'apprêtant à sonner la fin du jour.

Ce capitaine, nommé Vayssière, était un jeune homme chétif à monocle, curieusement rouge et doté d'une voix molle, qu'Anthime n'avait jamais vu et dont la morphologie laissait mal distinguer d'où et comment avait pu naître et se développer, chez lui, une vocation combative. Vous reviendrez tous à la maison, a notamment promis le capitaine Vayssière en gonflant sa voix de toutes ses forces. Oui, nous reviendrons tous en Vendée. Un point essentiel, cependant. Si quelques hommes meurent à la guerre, c'est faute d'hygiène. Car ce ne sont pas les balles qui tuent, c'est la malpropreté qui est fatale et qu'il vous faut d'abord combattre. Donc lavez-vous, rasez-vous, peignez-vous et vous n'avez rien à craindre.

Après cet exposé, comme on rompait les rangs, dans le mouvement des hommes Anthime s'est retrouvé par hasard à côté de Charles, près des cuisines de campagne que l'on commençait de monter. Charles n'avait pas l'air d'avoir plus envie de parler que dans le train ni que d'habitude, de la guerre ni de l'usine, mais là, à propos de celle-ci, plus moyen de se défiler dans un de ses couloirs en arguant d'un courrier urgent sous le bras comme il avait toujours su faire, il a bien fallu qu'il réponde aux préoccupations d'Anthime. Puis on était habillés pareil à présent, ce qui facilite l'échange toujours. Et pour l'usine, s'est donc inquiété Anthime, comment est-ce qu'on va faire ? J'ai Mme Prochasson qui s'occupe de tout, a expliqué Charles, elle a les dossiers en main. Toi c'est pareil, tu as Françoise à la comptabilité, tu retrouveras tout en ordre dès qu'on sera rentrés. Va savoir quand, s'est demandé Anthime. Ça va aller très vite, a réaffirmé Charles, on sera de retour pour les commandes de septembre. Ça, lui a dit Anthime, on verra bien.

On a un peu traîné dans le cantonnement, le temps de s'informer sur les ressources du pays. Des types se plaignaient déjà qu'on n'y trouvait rien à manger, pas de bière ni même d'allumettes et que le vin, vendu par les locaux qui avaient aussitôt vu le profit à tirer des événements, y était hors de prix. On entendait au loin des trains qui circulaient. Et puis, côté cuisines, rien à attendre tant qu'elles n'étaient pas tout à fait installées. Comme il ne restait plus rien des provisions du voyage, on s'est partagé du singe froid accompagné d'eau trouble et puis on est allés se coucher.

5

Quittant les perspectives aux immeubles serrés, les places aux vieilles demeures blotties entre elles, Blanche s'est éloignée du centre-ville. Elle a commencé d'arpenter des artères plus étales, aérées, d'architecture plus approximative et presque hétéroclite, en tout cas moins réglée : les maisons d'une plus grande variété ou absence de styles respiraient mieux, en retrait des rues et peu ou prou ceintes de jardins. Suivant son chemin, Blanche est ainsi passée devant la résidence de Charles puis devant celle d'Anthime, aussi vides à présent l'une que l'autre de leur occupant.

Le domicile de Charles : au-delà d'une grille ouvragée masquant un jardin qu'on devinait prospère et soigné, fleurs et gazon bien entretenus, une allée menait à une terrasse dallée ponctuée de piliers flanquant la double porte en vitrail polychrome à laquelle, après avoir gravi trois marches, on pouvait accéder. Depuis la rue, on distinguait d'assez loin la façade en granit jaune et bleu, mince, haute, étroitement verrouillée comme son propriétaire, trois étages avec un balcon au premier.

Celui d'Anthime, plus bas et plus trapu – comme s'il fallait décidément qu'une demeure, tel un chien, fût homothétique à son maître –, n'avait qu'un étage et l'on voyait de plus près son frontispice crépi. Moins bien dissimulé par un portail entrouvert aux planches à peu près jointives, peintes en blanc qui s'écaille, il donnait quant à lui sur une zone brève et mal délimitée de mauvaises herbes, bordée de tentatives potagères. Pour entrer chez Anthime, on devait ensuite fouler une dalle de ciment fissuré, juste ornée par les traces de pattes qu'avait précisément laissées un chien – bête sans doute elle-même, donc, aussi basse que trapue –, gravées dans le mortier frais le jour lointain qu'on l'avait coulé. Seul souvenir de l'animal défunt, restaient ses empreintes digitales au fond desquelles s'était accumulée une poussière terreuse, reliquat organique où s'efforçaient de pousser d'autres herbes sauvages au format plus réduit.

Sur ces deux domiciles, Blanche n'a jeté que deux rapides regards en poursuivant son chemin vers l'usine, masse continentale de briques sombres assise sur elle-même en forteresse, isolée du quartier par de petites rues craintives courant tout autour d'elle, douves ceignant un château. L'énorme entrée principale, ordinairement béante, gueule absorbant à heures fixes les masses laborieuses fraîches pour les régurgiter à bout de souffle, était ce dimanche aussi close qu'un dépôt monétaire. Un fronton circulaire la surmontait, où tournaient les aiguilles d'une vaste horloge et dont le pourtour était gravé des noms BORNE-SÈZE en relief énorme. Plus bas, sur le portail, pendait une pancarte où se lisaient les deux mots *On embau-*

che. Cette usine, on y fabriquait des chaussures.

Toute sorte de chaussures : souliers pour hommes, dames et enfants, bottes, bottines et bottillons, derbys et richelieus, sandales et mocassins, chaussons, pantoufles, mules, modèles orthopédiques et de protection, jusqu'au snow-boot récemment inventé, sans oublier le godillot qui tient son nom de son créateur, découvreur entre autres merveilles de la différence entre le pied gauche et le droit. Tout pour l'extrémité chez Borne-Sèze : de la galoche à l'escarpin, des brodequins aux talons aiguilles.

Pivotant sur les siens, Blanche a contourné l'usine pour se diriger vers un pavillon de la même brique et qui semblait faire partie des dépendances de l'entreprise. Dr Monteil, indiquait une plaque de cuivre surmontée d'un heurtoir : à peine a-t-elle frappé qu'est apparu ce praticien assez grand, voûté, couperosé, vêtu de gris, portant suffisamment une cinquantaine d'années – pile au-dessus de la limite d'âge impartie aux territoriaux –

pour avoir échappé de près à la mobilisation. Soignant les Borne depuis longtemps, Monteil avait réduit sa clientèle privée quand il s'était vu proposer par Eugène de s'occuper de l'usine – sélection et orientation des ouvriers à l'embauche, soins d'urgence et consultations, conseils d'hygiène industrielle à l'occasion –, restant cependant médecin de famille pour les Borne et trois dynasties locales, détenant d'autre part un siège de conseiller municipal et connaissant pas mal de monde : des relations un peu partout jusqu'à Paris. Familier de Blanche depuis les maladies infantiles, il l'était assez pour qu'elle vînt le consulter à deux titres, généraliste et homme public.

À l'homme public elle a parlé de Charles parti avec les autres vers la frontière, on ne savait pas au juste où. Elle lui a suggéré une intervention, présenté l'espoir d'une autre affectation que l'infanterie, Monteil a demandé qu'elle lui en dise un peu plus. Eh bien, s'est souvenue Blanche, à part l'usine qui prenait tout son temps, Charles s'intéresse beaucoup à l'aviation et à la photographie. Il y aurait peut-être, a dit Monteil, quelque chose à chercher de ce côté. Les troupes d'aérostation, je crois que ça s'appelle comme ça maintenant. Je vais y réfléchir, je pense à quelqu'un au ministère, je vous tiendrai au courant.

Puis au généraliste elle a présenté son cas, montré son corps sous son vêtement et l'examen est allé vite. Palpation, deux questions, diagnostic : pas l'ombre d'un doute, a déclaré Monteil, vous l'êtes. Et ce serait pour quand, a demandé Blanche. Début de l'année prochaine, a estimé Monteil, à première vue je dirais vers la fin janvier. Blanche n'a rien dit, elle a regardé la fenêtre – dans le cadre de laquelle rien n'est passé, ni le moindre oiseau ni rien – puis ses mains qu'elle a posées sur son ventre. Et vous comptez le garder, bien sûr, a supposé Monteil pour abréger le silence. Je ne sais pas encore, a dit Blanche. Sinon, s'est abaissée la voix du praticien, il y aurait toujours un moyen. Je sais, a dit Blanche, il y a Ruffier. Oui, a dit Monteil, enfin plus depuis l'autre jour, il est parti comme tout le monde mais c'est une affaire de deux semaines, ce sera vite réglé. Sinon il y a toujours sa femme qui peut s'en occuper. Nouveau silence et puis non, a dit Blanche, je crois que je vais le garder.

6

L'affaire de quinze jours, donc, avait estimé Charles trois mois plus tôt sous le soleil d'août. Comme avait dit Monteil ensuite, comme ils étaient nombreux à le croire alors. Sauf que quinze jours après, trente jours plus tard, au bout d'autres et puis d'autres semaines, une fois qu'il se serait mis à pleuvoir et les journées devenues de plus en plus froides et courtes, les choses n'auraient pas tourné comme prévu.

Certes, le lendemain de leur arrivée dans les Ardennes, tout ne s'était pas si méchamment présenté. On ne pouvait pas se plaindre qu'il fît un peu plus frais qu'en Vendée, l'air était pur et vif, on se sentait plutôt pas mal. On avait bien eu droit dans la matinée à la revue d'armes, de sacs et d'effets, mais c'est assez normal quand on est militaire, on jouerait presque à l'être ainsi. Bien que Charles gardât toujours un peu de distance avec Anthime – et vice versa de plus en plus –, ils avaient quand même souri ensemble aux plaisanteries de Bossis puis ri sans charité quand un lieutenant cruel, pendant la revue, s'était moqué du style de Padioleau pour présenter les armes. Tout le monde avait ensuite écrit, sauf ceux qui ne savaient pas, quelques cartes postales enjolivées par un apéritif miraculeusement trouvé – un Byrrh-citron quoique à l'eau plate faute d'eau de Seltz – puis le déjeuner n'était pas trop mauvais, qu'on avait même pu faire suivre d'une petite sieste avant d'aller s'acheter des prunes en fin d'après-midi dans un jardin.

C'est à partir du surlendemain que les choses se sont précisées : trois semaines pendant lesquelles ils n'ont pratiquement pas cessé de marcher. Presque tous les matins ils partaient à quatre heures, dans la poussière vite asséchée des routes, parfois coupant à travers champs, sans pouvoir observer la moindre halte. Au bout de quatre ou cinq jours, une chaleur sourde étant revenue, on leur faisait prendre une petite pause toutes les demi-heures à partir de la moitié du chemin, mais bientôt des hommes commencèrent de tomber tout le temps, surtout parmi les réservistes, Padioleau tombant plus souvent qu'à son tour. Puis à l'arrivée de l'étape, chacun n'en pouvant plus, personne ne voulait s'occuper de faire la cuisine et l'on ouvrait toujours des boîtes de singe sans grand-chose pour les arroser.

Il est en effet trop vite apparu qu'il n'y avait pas moyen de se procurer du vin dans le pays, ni d'ailleurs aucune autre boisson sauf un peu d'alcool brut, parfois, vendu maintenant cinq fois son prix par les bouilleurs des villages traversés – ces locaux profitant avec avidité de l'affaire en or qu'offrait une troupe assoiffée. Ça n'allait pas durer, l'état-major discernant bientôt l'avantage présenté par des hommes dûment abreuvés, l'ivresse calfeutrant la peur, mais on n'en était pas encore là.

On voyait toujours en attendant et de plus en plus souvent passer dans le ciel quelques aéroplanes, c'était une distraction, puis il s'est mis à faire moins chaud.

Dans les villages, pourtant, à part les mercantis – qui proposaient également du tabac, du saucisson, des confitures –, mais aussi sur les bords des champs, le long de leur route, de petites grappes rurales acclamaient les soldats. Il n'était pas si rare que sans calcul on leur offrît des fleurs, des fruits, du pain, du vin gardés par les habitants des bleds qui avaient quelquefois vu survenir l'ennemi, parfois dû lui donner beaucoup d'argent pour obtenir le droit de n'être pas bombardés. Tout en marchant les hommes considéraient les femmes groupées au bord des voies, ils en voyaient parfois des jeunes et des jolies. L'une d'elles, une fois vers Écordal, pas si jolie ni jeune, leur a jeté des médailles religieuses.

Il est aussi arrivé de plus en plus qu'on passât par certains villages abandonnés de leur population, parfois même effondrés, dévastés ou brûlés, peut-être, pour n'avoir pas payé le tribut. Les caves des maisons vides avaient été souvent dévalisées, on y découvrait au mieux des bouteilles d'eau de Vichy. Les rues désertes étaient jonchées de choses diverses et dégradées : on pouvait trouver là, par terre et qu'on ne ramassait pas souvent, des cartouches non tirées laissées par une compagnie momentanée, du linge épars, des casseroles sans poignée, des flacons vides, un acte de naissance, un chien malade, un dix de trèfle, une bêche fendue.

Il est également arrivé que les choses parussent se préciser encore un peu quand des rumeurs se répandaient, surtout relatives à l'espionnage : un instituteur félon aurait été surpris dans tel ou tel secteur, s'apprêtant à faire sauter un pont. Il a pu se présenter que ces espions, vers Saint-Quentin, on en a aperçu deux ligotés à un arbre, convaincus d'avoir communiqué toute la nuit à la lanterne des renseignements à l'ennemi, puis, comme on s'approchait, on a vu le colonel les tuer à bout portant avec son revolver. Il s'est produit qu'un soir, après quinze jours de marche, l'ordre a été donné de noircir les gamelles pour en affaiblir la visibilité. Anthime ne sachant pas bien s'y prendre, il a regardé comment les autres procédaient, chacun selon, puis il s'en est tiré avec un petit mélange de terre et de cirage. Oui, cela se précisait sans doute.

Deux semaines après le début de cette expédition, viendrait aussi le moment où Anthime a constaté qu'il ne voyait plus jamais Charles. Au risque d'être houspillé, pendant la marche il a passé deux jours à monter et descendre les rangs de la compagnie dans l'idée de l'apercevoir au moins, sans autre résultat qu'une fatigue accrue. Il s'est alors aventuré à se renseigner, se heurtant d'abord à des gradés mutiques et surplombants, avant qu'un sergent plus complaisant lui apprenne un soir que Charles avait été muté, on ne savait pas où, secret militaire, Anthime n'a réagi qu'à peine tant il avait sommeil.

Les soirs, d'ailleurs, ce serait souvent toute une affaire pour se coucher après la halte. Faute de place dans les villages, la moitié de la compagnie se verrait généralement contrainte d'essayer de dormir dehors, en cas de village vide les plus chanceux cantonneraient dans des maisons fuies par leurs occupants : quelques meubles pourraient s'y trouver encore et même parfois des lits quoique sans literie. Mais on s'inventerait plus souvent un couchage dans des champs d'avoine ou de betteraves, des jardins ou des bois, sous des abris de branchages qu'on assemblerait, une meule de foin providentiel, une fois dans une usine de sucre abandonnée. Où qu'on échouât, jamais on ne trouverait de confort mais on s'endormirait vite.

Avant la nuit, malgré la fatigue on se livrait à des activités de routine : corvées de lavage, revue des souliers et des pieds. Certains, pour se détendre et se changer les idées, jouaient aux cartes, aux dominos, aux dames, à saute-mouton, organisant même des concours de saut en hauteur ou des courses en sac. Arcenel gravait plus calmement son nom, Anthime seulement ses initiales accompagnées de la date du jour à la pointe du couteau, sur un arbre et sur un calvaire. Puis on mangeait, dormait, repartait au clairon après s'être harnachés de son fusil, sa musette et son bidon en bandoulière, ses cartouchières au ceinturon après avoir rendossé son havresac, modèle as de carreau 1893 et dont l'infrastructure était un cadre en bois couvert d'une enveloppe de toile épaisse, du vert wagon au brun cachou. On le fixait sur son dos par deux bretelles en cuir, articulées en leur milieu par un dé en laiton.

Le sac ne pesait d'abord, vide, que six cents grammes. Mais il s'alourdirait vite par un premier lot de fournitures réglementaires, soigneusement réparties et consistant en matériel alimentaire – bouteilles d'alcool de menthe et substitut de café, boîtes et sachets de sucre et de chocolat, bidons et couverts en fer étamé, quart en fer embouti, ouvre-boîte et canif –, en vêtements – caleçons court et long, mouchoirs en coton, chemises de flanelle, bretelles et bandes molletières –, en produits d'entretien et de nettoyage – brosses à habits, à chaussures et pour les armes, boîtes de graisse, de cirage, de boutons et de lacets de rechange, trousse de couture et ciseaux à bouts ronds –, en effets de toilette et de santé – pansements individuels et coton hydrophile, torchon-serviette, miroir, savon, rasoir avec son aiguisoir, blaireau, brosse à dents, peigne – ainsi qu'en objets personnels – tabac et papier à rouler, allumettes et briquet, lampe de poche, bracelet d'identité à plaques en maillechort et aluminium, petit paroissien du soldat, livret individuel.

Tout cela semblait déjà pas mal pour un seul sac mais n'empêchait nullement qu'ensuite on arrimât sur lui, à l'aide de sangles, divers accessoires échafaudés. Au sommet, d'abord, sur une couverture roulée surmontant une toile de tente avec mâts, piquets et cordeaux incorporés, trônerait une gamelle individuelle – basculée pour obvier à l'entrechoc avec la tête –, à l'arrière un petit fagot de bois sec pour la soupe au bivouac serait calé sur une marmite fixée par une courroie remontant sur la gamelle et, latéralement, pendraient un ou deux outils de campagne sous leur housse en cuir – hache ou cisaille, serpe, scie, pelle, pioche ou pelle-pioche, au choix – ainsi qu'une vache à eau et une lanterne sous son étui de transport en toile. L'ensemble de cet édifice avoisinerait alors au moins trente-cinq kilos par temps sec. Avant qu'il ne se mette, donc, à pleuvoir.

7

Ce moustique, à treize heures, apparaît dans l'air normalement bleu d'une fin d'été, sur le département de la Marne.

Propulsons-nous vers cet insecte : à mesure qu'on l'approche, il grossit peu à peu jusqu'à se transformer en petit avion, biplan biplace de modèle Farman F 37 mené par deux hommes, un pilote et un observateur assis l'un derrière l'autre dans des fauteuils bruts, à peine protégés par deux pare-brise rudimentaires. Giflés par le vent du vol, sans être abrités par un cockpit clos comme il en viendra plus tard, ils semblent installés sur une étroite terrasse panoramique d'où l'on peut admirer le paysage de conflit débutant : colonnes de camions et de soldats en marche, terrains de manœuvres et cantonnements.

À la surface du sol où tout cela rampe et grogne, où transpirent les troupes survolées, on a extrêmement chaud – une des dernières canicules de ce milieu d'août, avant que s'amorce le virage de l'automne. Mais haut dans le ciel, comme il peut faire plus frais, on s'est couverts en conséquence.

Sous leur casque et leurs grosses lunettes de protection, mêmement vêtus de combinaisons de toile noire caoutchoutée, doublées de lapin et renforcées de chèvre, vestes et pantalons en cuir, gants et chaussons fourrés, les deux hommes se ressemblent d'autant plus que rien n'est visible de leur corps sauf leurs joues, leurs mâchoires et leur bouche par laquelle ils essaient de se parler – mais sans pouvoir guère échanger mieux que des exclamations qu'ils articulent mal et n'entendent qu'à peine, assourdis par les quatre-vingts chevaux du moteur, leur parole coupée par l'air vif. Ils ont l'air coulés dans le même moule, figurines aux joints de soudure à peine visibles, soldats de plomb identiques excepté une écharpe marron autour du cou de l'observateur nommé Charles Sèze, le pilote s'appelant Alfred Noblès.

Ils ne sont pas armés, du moins pas encore chargés des soixante kilos de bombes que ce biplan peut embarquer, la petite mitrailleuse de bord n'est pas opérationnelle. Quoique fixée sur le fuselage, sa configuration n'a toujours pas donné de résultats satisfaisants – pour autant qu'il est difficile de viser et recharger tout en pilotant, et d'autant plus que le système de synchronisation du tir à travers l'hélice n'est pas tout à fait au point.

D'ailleurs ils n'ont pas peur, étant seulement investis d'une seule mission de reconnaissance, et malgré la nouveauté de cette tâche pour laquelle ils sont à peine formés. Noblès pilote la machine, jetant des regards brefs sur l'altimètre, la boussole, les indicateurs de vitesse et de pente, Charles Sèze maintient sur ses genoux une carte d'état-major, son écharpe brune emmêlée aux courroies des jumelles et de l'appareil aérophotographique qui pendent lourdement à son cou. On vole en regardant le paysage, sans autre consigne qu'observer.

Plus tard viendront la chasse et les bombardements, l'interdiction de survol de certaines zones à l'adversaire, l'attaque des ballons dirigeables et captifs lorsque les choses en arriveront, très bientôt, à s'aggraver sans mesure. L'heure n'est dans l'immédiat qu'à l'examen : prise de photos, signalement des mouvements de troupes, réglage des tirs à venir, repérage des lignes, des aménagements d'aérodromes et de hangars à zeppelins ainsi que leurs annexes : dépôts, garages, cabanes de commandement, dortoirs, cantines.

On vole donc, ouvrant l'œil, lorsque un autre moustique apparaît loin derrière le Farman sur la gauche, nouvel insecte à peine perceptible que n'aperçoivent d'abord ni Sèze ni Noblès et qui, grossissant à son tour, va se préciser. Structure en bois revêtue de toile et ornée de la croix de Malte sur les ailes, la queue et les jantes du chariot d'atterrissage, fuselage en duralumin, c'est un biplace Aviatik dont la trajectoire vers le Farman laisse peu de doutes quant à ses intentions, d'autant moins qu'approchant encore, comme Charles Sèze distingue un fusil d'infanterie saillant de son poste de pilotage et pointé sans équivoque vers eux, il alerte aussitôt Noblès.

Nous sommes dans les premières semaines de guerre et l'avion est un mode de transport neuf, jamais utilisé dans un but militaire. La mitrailleuse Hotchkiss a certes été montée sur le Farman mais à titre expérimental et sans munitions, donc désactivée : l'usage des armes à répétition n'est pas encore autorisé sur les avions par les autorités, moins à cause de leur poids et de leur fonctionnement précaire que par crainte que l'ennemi s'en inspire et s'outille à son tour. En attendant que ça change et par précaution, sans trop en faire état à leur hiérarchie, les équipages emportent quand même des fusils ou des armes de poing. À la vue de ce fusil d'infanterie, pendant que Noblès commence de manœuvrer le Farman en zigzag pour se tenir hors de la ligne de tir adverse, Charles fouille une poche de sa combinaison pour en extraire un pistolet Savage spécialement bricolé pour l'aviation, ceint d'un grillage récupérateur pour éviter que les étuis vides aillent s'égarer dans l'hélice.

Au cours des minutes qui suivent, l'Aviatik et le Farman se survolent, se croisent, s'évitent, se rejoignent jusqu'à se toucher presque sans se quitter de l'œil, ébauchant ce que deviendront les figures principales de voltige aérienne – boucle, tonneau, vrille, humpty-bump, immelmann –, chacun cherchant la feinte en même temps que le meilleur angle d'attaque pour s'assurer un avantage balistique. Charles est blotti sur son siège, assurant à deux mains la tenue fixe du pistolet, cependant que l'observateur ennemi oriente au contraire sans cesse le canon de son fusil. Comme Noblès fait soudain grimper son avion dans le ciel, l'Aviatik le talonne, se glisse sous lui pour remonter brusquement en virant, assurant du même pas l'exposition du Farman dans lequel Charles se retrouve masqué par son pilote, donc dans l'impossibilité d'agir. Un seul coup part alors du fusil d'artillerie : une balle traverse douze mètres d'air à sept cents d'altitude et mille par seconde pour venir s'introduire dans l'œil gauche de Noblès et ressortir au-dessus de sa nuque, derrière son oreille droite et dès lors le Farman, privé de contrôle, reste un moment sur son erre avant de décliner en pente de plus en plus verticale et Charles, béant, par-dessus l'épaule affaissée d'Alfred, voit s'approcher le sol sur lequel il va s'écraser, à toute allure et sans alternative que sa mort immédiate, irréversible, sans l'ombre d'un espoir – sol présentement occupé par l'agglomération de Jonchery-sur-Vesle, joli village de la région de Champagne-Ardennes et dont les habitants s'appellent les Joncaviduliens.

8

Quand il s'est mis à pleuvoir, le sac a presque doublé de charge et le vent s'est levé en masse autoritaire, si pesamment gelé qu'on s'étonnait qu'il fût mobile : il faisait un froid bleu quand on a atteint la frontière belge où les douaniers, le jour de la mobilisation, avaient allumé un grand feu qu'ils n'avaient pas depuis laissé s'éteindre, et le plus près possible duquel on a tenté de dormir en se pelotonnant serré. Anthime a envié ces douaniers, leur vie qu'il supposait tranquille, leur poste qu'il imaginait sûr et leurs sacs de couchage en peau de mouton. Il les a encore enviés davantage après les avoir quittés, lorsque deux autres jours de marche plus tard il a commencé d'entendre le canon, de plus en plus proche, basse continue accompagnée de coups de feu épars qui devaient témoigner d'escarmouches entre patrouilles.

C'est peu après avoir fait connaissance avec cet écho de la fusillade qu'on est brusquement entrés en pleine ligne de feu, dans un vallonnement un peu au-delà de Maissin. Dès lors il a bien fallu y aller : c'est là qu'on a vraiment compris qu'on devait se battre, monter en opération pour la première fois mais, jusqu'au premier impact de projectile près de lui, Anthime n'y a pas réellement cru. Quand il a été bien obligé d'y croire, tout ce qu'il portait sur lui est devenu très lourd : le sac, les armes et même sa chevalière sur son auriculaire, pesant une tonne et n'empêchant nullement que s'éveillât encore, et plus vive que jamais, sa douleur au poignet.

Puis on leur a crié d'avancer et, plus ou moins poussé par les autres, il s'est retrouvé sans trop savoir que faire au milieu d'un champ de bataille on ne peut plus réel. D'abord avec Bossis ils se sont regardés, Arcenel derrière eux rajustait une courroie et Padioleau se mouchait dans un tissu moins blanc que lui. Ensuite il a bien fallu s'élancer au pas de charge cependant que paraissait à l'arrière-plan, dans leur dos, un groupe d'une vingtaine d'hommes qui, le plus paisiblement du monde, se sont disposés en rond sans apparent souci des projectiles. C'étaient les musiciens du régiment dont le chef, sa baguette blanche dressée, a fait s'élever en l'abattant l'air de La Marseillaise, l'orchestre envisageant d'illustrer vaillamment l'assaut. Bien disposés en défense dans un bois qui les dissimulait, les ennemis ont d'abord empêché la troupe de progresser mais, l'artillerie s'y mettant par-derrière pour essayer de les affaiblir, on a entrepris d'attaquer, courant courbés, maladroitement sous le poids du matériel, chacun précédé de sa baïonnette qui trouait l'air glacé devant soi.

Or on avait chargé trop tôt, commettant de plus l'erreur de se porter en masse sur la route qui traversait le théâtre du combat. Cette route, à découvert et bien repérée par l'artillerie adverse postée derrière les arbres, constituait en effet une cible parfaitement dégagée : tout de suite quelques hommes, pas loin d'Anthime, se sont mis à tomber, il a cru voir jaillir deux ou trois gerbes de sang mais les a rejetées avec vigueur de son esprit – n'étant pas même certain, n'ayant pas le temps d'être certain que ce fût du sang sous pression, ni d'ailleurs d'en avoir jamais vu à ce jour, du moins pas de cette façon ni sous cette forme. Il n'avait d'ailleurs pas la tête à penser, juste à tenter de tirer sur ce qui semblait hostile et, surtout, chercher un couvert possible où qu'il fût. Par chance, quoique aussitôt battue en règle par le feu ennemi, la route présentait çà et là des tronçons encaissés où l'on a d'abord pu s'abriter un peu.

Mais trop peu : sous les ordres aboyés, les premiers rangs d'infanterie ont dû abandonner cette voie pour se risquer ouvertement dans l'étendue d'avoine qui la bordait et, dès lors, non contents d'essuyer les tirs venus de l'ennemi, ils ont commencé de recevoir aussi dans le dos des balles imprudemment tirées par leurs propres forces, après quoi le désordre s'est vite installé dans les rangs. C'est qu'on était sans expérience, les accrochages commençaient à peine : ce ne serait que plus tard, pour pallier de tels impairs et se faire mieux repérer par les officiers observateurs, qu'on recevrait l'ordre de coudre un grand rectangle blanc dans le dos de sa capote. Cependant, tandis que l'orchestre tenait sa partie dans le combat, le bras du baryton s'est vu traversé par une balle et le trombone est tombé, très mauvaisement blessé : le rond s'est resserré d'autant et, quoique en formation restreinte, les musiciens ont continué de jouer sans la moindre fausse note, puis comme ils reprenaient la mesure où se lève l'étendard sanglant, la flûte et l'alto sont tombés morts.

L'artillerie l'ayant secondée trop tard dans sa marche en avant, la compagnie n'a pas pu prendre l'avantage de toute la journée, ne cessant d'avancer pour se replier aussitôt. Enfin, au soir, dans un dernier effort elle a réussi à refouler l'ennemi au-delà du bois par une charge à la baïonnette : Anthime a vu, cru voir encore des hommes en trouer d'autres juste devant ses yeux, tirant aussitôt après pour dégager leur lame des chairs par effet de recul. Lui-même crispé sur son fusil se sentait maintenant apte à perforer, embrocher, transfixer le moindre obstacle, des corps d'hommes, d'animaux, des troncs d'arbres ou tout ce qui se présenterait – disposition fugace mais absolue, aveugle, en excluant toute autre –, toutefois l'occasion ne lui en a pas été donnée. Il a continué de progresser en même temps que tout le monde, besogneusement, sans s'attarder sur les détails, mais ce terrain gagné ne l'a pas été longtemps : la compagnie s'est vue contrainte de battre en retraite aussitôt après, la position n'étant pas tenable sans renforts qui n'arrivaient pas. Tout cela, Anthime ne l'a reconstitué que plus tard, après qu'on le lui a expliqué, sur le moment il n'y a rien compris comme c'est l'usage.

C'était donc le premier combat pour lui et pour les autres au terme duquel, parmi quelques dizaines, le capitaine Vayssière, un adjudant et deux fourriers ont été trouvés morts, sans parler des blessés que les brancardiers se sont efforcés d'évacuer jusque après la tombée de la nuit. Du côté de l'orchestre, l'un des clarinettistes était tombé, frappé au ventre, la grosse caisse avait culbuté, joue transpercée, avec son instrument et le deuxième flûtiste n'avait plus que la moitié de sa main. En se relevant à l'issue de l'affrontement, Anthime a observé que sa gamelle et sa marmite avaient été trouées par balles, ainsi que son képi. Un éclat d'obus avait arraché tout le dessus du sac d'Arcenel, sac également percé par un projectile qu'il a retrouvé à l'intérieur après qu'il eut aussi déchiré sa veste. Après l'appel il s'est trouvé que la compagnie comptait soixante-seize manquants.

Dès l'aube du lendemain, il a fallu beaucoup marcher encore, souvent à travers des forêts où l'on était moins exposés aux jumelles adverses, au regard plongeant des aviateurs et des aérostiers sur leurs ballons captifs, bien que le relief souvent accidenté multipliât l'effort et la fatigue. On a rencontré de plus en plus de cadavres, d'armes et d'équipements abandonnés, on a dû se battre encore à deux ou trois reprises, mais ces combats n'ont heureusement été que des échauffourées, plus brèves et plus désordonnées encore, moins carnassières en tout cas que le premier affrontement à Maissin.

Ce parcours a occupé l'automne au bout duquel c'était devenu automatique, on avait fini par presque oublier qu'on marchait. Ce qui n'était d'ailleurs pas si mal : on s'occupait ainsi, le corps mécaniquement sollicité laissant penser à autre chose ou plus souvent à rien, mais il a bien fallu qu'on s'arrêtât quand la guerre s'est bloquée en hiver. À force d'avancer les uns contre les autres, jusqu'à se retrouver sans plus pouvoir, de part et d'autre, étendre ses positions, il devait arriver que cela se figeât en face-à-face : ça s'est figé dans un grand froid, comme si celui-ci gelait soudain le mouvement général des troupes, sur une longue ligne allant de la Suisse à la mer du Nord. C'est quelque part sur cette ligne qu'Anthime et les autres se sont retrouvés paralysés, cessant de bouger pour s'engluer dans un vaste réseau de tranchées reliées par des boyaux. Tout ce système, en principe, avait été d'abord creusé par le génie mais il a aussi et surtout fallu le creuser soi-même, les pelles et pioches qu'on portait sur le dos n'étant pas là pour décorer latéralement le sac. Ensuite, en essayant chaque jour de tuer un maximum de ceux d'en face et de gagner un minimum requis de mètres au gré du commandement, c'est là qu'on s'est enfouis.

9

Fin janvier, comme prévu, Blanche a mis au monde un enfant, sexe féminin, 3,620 kilos, prénom Juliette. Faute de père légal – faute d'autant plus irrésolue que ce père biologique, présumé par tous, s'est écrasé six mois plus tôt dans la périphérie de Jonchery-sur-Vesle –, on lui a donné le patronyme de sa mère. Juliette Borne, donc.

Que sa mère ait porté cet enfant hors mariage n'a pas causé beaucoup de scandale ni même provoqué trop de rumeurs. On est assez libéral chez les Borne : Blanche s'est contentée de peu apparaître en ville pendant six mois puis, après la naissance, on a invoqué la guerre comme responsable d'un retard de noces, fait croire à des fiançailles qui n'avaient pas eu lieu, tenté de masquer l'illégitimité du phénomène derrière la figure aussitôt héroïsée du père supposé, auréolé de bravoure et, par les soins empressés de Monteil, décoré d'une médaille posthume. Même si le père de Blanche, raisonnant à long terme, a regretté sans s'en ouvrir que, faute d'héritier mâle, l'avenir de l'usine ne fût pas assuré, la naissance de Juliette n'a pas empêché que cet enfant, orpheline de père dès avant sa naissance, est aussitôt devenu l'objet de tous les soins.

Je ne me le pardonne pas, a soupiré Monteil, je ne m'en remettrai jamais. Grâce aux relations du médecin, on avait en effet espéré que Charles en échappant au front serait, dans l'air, plus à l'abri du feu que sur la terre. Certes les relations avaient bien joué, les choses avaient marché, on avait pu le faire exempter de combats au sol et muter dans l'aviation naissante – dont rien ne laissait encore prévoir chez les civils un rôle à ce point actif dans les combats –, comme si c'était une planque. Or cela s'était révélé somme toute un faux calcul, le père putatif de Juliette disparaissant encore plus vite dans le ciel qu'il ne l'aurait peut-être fait dans la boue. Je me le reprocherai toujours, a répété Monteil. Il s'en serait peut-être mieux tiré dans l'infanterie, aussi bien. On ne pouvait pas savoir. Blanche a brièvement répondu que les regrets ne servaient à rien, qu'on n'allait pas s'éterniser là-dessus, que ce ne serait pas si mal s'il jetait plutôt un coup d'œil sur la petite.

Laquelle avait trois mois, on était au début du printemps, Blanche voyait à présent bourgeonner les choses dans les arbres, quoique toujours sans le moindre oiseau, par la fenêtre sous laquelle était stationné le landau. Pardonnez-moi, a dit Monteil en se levant pesamment de son fauteuil, extirpant l'enfant de sa voiture pour l'examiner – respiration, température, vigilance –, puis déclarant que ma foi tout se présentait au mieux. Très bien, l'a remercié Blanche tout en remballant le nourrisson. Et vos parents, a voulu savoir Monteil. Ils tiennent le coup, a dit Blanche, ç'a été dur après la mort de Charles, mais la petite les distrait. Oui, s'est mis à radoter Monteil, je m'en voudrai toujours de ce que j'ai fait mais c'était pour son bien, n'est-ce pas. Ça va, a conclu Blanche. Et son frère, à part ça, a demandé Monteil. Pardon, a dit Blanche, le frère de qui ? Le frère de Charles, a rappelé Monteil, vous avez des nouvelles ? Des cartes postales, a répondu Blanche, il en envoie régulièrement. Et même une lettre, de temps en temps. Là, je crois qu'ils sont dans la Somme, il ne se plaint pas trop. Tant mieux, a opiné Monteil. De toute façon, a rappelé Blanche, ça n'a jamais été un garçon à trop se plaindre, Anthime. Vous savez comme il est, il s'adapte toujours.

10

De fait, Anthime s'est adapté. Ne se fût-il pas adapté, d'ailleurs, eût-il montré du mal à supporter les choses et voulu le faire savoir, la censure du courrier n'aidait pas trop à ce qu'on se plaignît. Oui, Anthime s'est plutôt vite fait aux travaux quotidiens de nettoyage, de terrassement, de chargement et de transport de matériaux, aux séjours en tranchée, aux relèves nocturnes et aux jours de repos. Ceux-ci n'en avaient d'ailleurs que le nom, consistant en exercices, instruction, manœuvres, vaccins anti-typhoïdiques, douches quand tout allait bien, défilés, prises d'armes et cérémonies – remise d'une croix de guerre inventée depuis six mois ou par exemple, ces derniers jours dans la section, citation décernée à un sergent-major pour sa constance au front malgré ses rhumatismes. Anthime s'est également habitué aux déplacements, aux changements de tenue et surtout aux autres.

Les autres étaient, pour l'essentiel mais pas seulement, des paysans, ouvriers agricoles, artisans ou façonniers de base, population plutôt prolétarienne où ceux qui savaient lire, écrire et compter comme Anthime Sèze n'étaient pas en majorité, pouvant servir dès lors à rédiger le courrier des camarades et leur lire celui qu'ils recevaient. Les nouvelles arrivées étaient ensuite transmises à qui voulait entendre, ce dont Anthime s'est abstenu en apprenant la mort de Charles, ne s'en ouvrant qu'à Bossis, Arcenel et Padioleau – ces quatre se débrouillant au demeurant toujours, nonobstant les mouvements de troupes, pour n'être jamais trop loin les uns des autres.

Quant aux changements de tenue, c'est au printemps qu'on a touché de nouvelles capotes bleu clair, seyantes sous le soleil revenu, le pantalon rouge trop criard ayant quant à lui presque disparu, soit qu'on le recouvrît d'une salopette bleue, soit qu'on le remplaçât par un pantalon de velours. Côté accessoires défensifs, on avait d'abord reçu des cervelières, calottes en acier qui vous enveloppaient le crâne et qu'on devait porter sous la basane du képi, puis quelques semaines plus tard, en mai, signe qu'une innovation technique peu réjouissante se profilait, ont été distribuées des protections individuelles – bâillons et lunettes en mica – contre les gaz de combat pendant qu'on bivouaquait dans un pré.

Inconfortable et qui glissait tout le temps, sans parler des migraines provoquées, la cervelière n'a pas connu un franc succès : on a de plus en plus omis de la porter, ne l'utilisant bientôt qu'à des fins culinaires, pour se faire cuire un œuf ou comme assiette à soupe d'appoint. C'est dans les premiers jours de septembre, après les Ardennes et la Somme, lorsque la compagnie d'Anthime s'est déplacée vers la Champagne, qu'on a remplacé cette calotte par un casque censé protéger l'homme plus sérieusement, mais dont les modèles initiaux étaient peints en bleu brillant. Quand on les a coiffés, on s'est d'abord bien amusés de ne plus se reconnaître tant ils étaient couvrants. Quand ça n'a plus fait rire personne et qu'il est apparu que les reflets du soleil produisaient sur ce bleu d'attrayantes cibles, on les a enduits de boue comme on avait fait l'an passé pour les gamelles. Quelle que fût en tout cas la couleur de ce casque, on n'a pas été mécontents de l'avoir sur la tête pendant l'offensive de l'automne. Il y a notamment eu, fin octobre, une journée difficile pendant laquelle il n'a pas été de trop.

Dès le début de la matinée, ce jour-là, un bombardement très brutal a commencé : l'ennemi a d'abord envoyé des obus de gros calibre exclusivement, 170 et 245 bien ajustés qui labouraient les lignes en profondeur, créant des éboulements pour ensevelir les hommes valides et les blessés, vite étouffés sous les avalanches de terre. Anthime a manqué de rester dans un trou qui s'effondrait après la chute d'une bombe, échappant à des centaines de balles à moins d'un mètre de lui, à des dizaines d'obus dans un rayon de cinquante. Tressautant sans méthode sous la grêle, il a vu un instant sa fin quand un percutant est tombé encore plus près de lui, dans une brèche de tranchée comblée par des sacs à terre dont un, éventré puis projeté par l'impact, l'a presque assommé tout en le protégeant par chance des éclats. C'est le moment qu'a choisi l'infanterie adverse, profitant du désordre, de l'affolement général et du sens dessus dessous du réseau, pour attaquer en masse, terrifiant d'un seul coup l'ensemble de la troupe dans laquelle une panique s'est produite : tout le monde s'est enfui vers l'arrière en hurlant que les Boches arrivaient.

Se traînant à plat ventre vers le premier abri venu, Anthime et Bossis sont parvenus à se dissimuler sous une sape à quelques mètres sous terre, et c'est alors qu'aux balles et aux obus se sont adjoints les gaz : toute sorte de gaz aveuglants, vésicants, asphyxiants, sternutatoires ou lacrymogènes que diffusait très libéralement l'ennemi à l'aide de bonbonnes ou d'obus spéciaux, par nappes successives et dans le sens du vent. Dès la première odeur de chlore, Anthime a mis son bandeau protecteur et convaincu Bossis par gestes de quitter la sape pour sortir en plein air : s'ils y étaient exposés aux projectiles, ils pouvaient au moins se soustraire à ces vapeurs fort lourdes et plus insidieusement tueuses encore, qui s'accumulaient et séjournaient longtemps au fond des trous, des tranchées, des boyaux après le passage de leur nuage.

Comme si tout cela ne suffisait pas, à peine s'étaient-ils extraits de leur cache, il a fallu qu'un chasseur Nieuport vînt à s'écraser et se disloquer en explosant sur la tranchée, tout près de l'abri, multipliant un cataclysme de poussière et de fumée – à travers quoi ils ont pu voir brûler deux aviateurs tués dans le choc et restés démantelés sur leurs sièges, transformés en squelettes grésillants maintenus par leurs courroies. Le jour tombait cependant, qu'on ne voyait d'ailleurs pas tomber dans ce désordre, et au moment de sa chute un calme relatif a paru se rétablir un moment. Il semblait néanmoins qu'on désirât conclure par un dernier déferlement, un final de feu d'artifice, car une canonnade gigantesque a repris : Anthime et Bossis se sont encore trouvés couverts de terre par l'explosion d'un nouvel obus, tombé sur la sape qu'ils venaient à l'instant de quitter et dont la voûte, sous leurs yeux, n'a pas résisté à l'impact.

À la nuit, le feu s'est ralenti, ç'aurait pu être presque calme si l'on n'avait dû, le ravitaillement se trouvant désorganisé par l'offensive, aller chercher des vivres dans le noir jusqu'à Perthes en parcourant cinq kilomètres de boyaux. Au retour, Anthime avant d'aller dormir a juste eu le temps de trouver et de lire une lettre de Blanche donnant des nouvelles de Juliette – deuxième dent –, avant d'apprendre par un fourrier que le 120ᵉ avait pris deux tranchées à droite. À gauche, vers la butte de Souain, ceux d'en face en avaient pris deux autres qui, disait-on, leur avaient été aussitôt reprises, bref ça n'arrêtait pas.

Et dès le lendemain matin ça n'a plus eu

de cesse encore, dans le perpétuel tonnerre polyphonique sous le grand froid confirmé. Canon tonnant en basse continue, obus fusants et percutants de tous calibres, balles qui sifflent, claquent, soupirent ou miaulent selon leur trajectoire, mitrailleuses, grenades et lance-flammes, la menace est partout : d'en haut sous les avions et les tirs d'obusiers, d'en face avec l'artillerie adverse et même d'en bas quand, croyant profiter d'un moment d'accalmie au fond de la tranchée où l'on tente de dormir, on entend l'ennemi piocher sourdement au-dessous de cette tranchée même, au-dessous de soi-même, creusant des tunnels où il va disposer des mines afin de l'anéantir, et soi-même avec.

On s'accroche à son fusil, à son couteau dont le métal oxydé, terni, bruni par les gaz ne luit plus qu'à peine sous l'éclat gelé des fusées éclairantes, dans l'air empesté par les chevaux décomposés, la putréfaction des hommes tombés puis, du côté de ceux qui tiennent encore à peu près droit dans la boue, l'odeur de leur pisse et de leur merde et de leur sueur, de leur crasse et de leur vomi, sans parler de cet effluve envahissant de rance, de moisi, de vieux, alors qu'on est en principe à l'air libre sur le front. Mais non : cela sent le renfermé jusque sur sa personne et en elle-même, à l'intérieur de soi, derrière les réseaux de barbelés crochés de cadavres pourrissants et désarticulés qui servent parfois aux sapeurs à fixer les fils du téléphone – cela n'étant pas une tâche facile, les sapeurs transpirent de fatigue et de peur, ôtent leur capote pour travailler plus aisément, la suspendent à un bras qui, saillant du sol retourné, leur tient lieu de portemanteau.

Tout cela ayant été décrit mille fois, peut-être n'est-il pas la peine de s'attarder encore sur cet opéra sordide et puant. Peut-être n'est-il d'ailleurs pas bien utile non plus, ni très pertinent, de comparer la guerre à un opéra, d'autant moins quand on n'aime pas tellement l'opéra, même si comme lui c'est grandiose, emphatique, excessif, plein de longueurs pénibles, comme lui cela fait beaucoup de bruit et souvent, à la longue, c'est assez ennuyeux.

11

L'un des matins suivants, assez semblable aux autres, la neige a pris le parti de tomber en même temps que les obus – certes pas au même rythme : ils étaient un peu moins nombreux ce matin-là, seulement trois jusqu'ici –, cependant que Padioleau prenait celui de se plaindre.

J'ai faim, geignait donc Padioleau, j'ai froid, j'ai soif et puis je suis fatigué. Eh oui, a dit Arcenel, comme nous tous. Et puis je me sens aussi très oppressé, a poursuivi Padioleau, sans compter que j'ai mal au ventre. Ça va passer, ton mal au ventre, a pronostiqué Anthime, on l'a tous plus ou moins. Oui mais le pire, a insisté Padioleau, c'est que je ne sais pas trop si je me sens oppressé parce que j'ai mal au ventre

(Tu commences à nous emmerder, a fait observer Bossis) ou si j'ai mal au ventre parce que je me sens oppressé, vous voyez ce que je veux dire. Fous-nous la paix, a conclu Arcenel.

C'est alors qu'après les trois premiers obus tombés trop loin, puis vainement explosés au-delà des lignes, un quatrième percutant de 105 mieux ajusté a produit de meilleurs résultats dans la tranchée : après qu'il a disloqué l'ordonnance du capitaine en six morceaux, quelques-uns de ses éclats ont décapité un agent de liaison, cloué Bossis par le plexus à un étai de sape, haché divers soldats sous divers angles et sectionné longitudinalement le corps d'un chasseur-éclaireur. Posté non loin de celui-ci, Anthime a pu distinguer un instant, de la cervelle au bassin, tous les organes du chasseur-éclaireur coupés en deux comme sur une planche anatomique, avant de s'accroupir spontanément en perte d'équilibre pour essayer de se protéger, assourdi par l'énorme fracas, aveuglé par les torrents de pierres, de terre, les nuées de poussière et de fumée, tout en vomissant de peur et de répulsion sur ses mollets et autour d'eux, ses chaussures enfoncées jusqu'aux chevilles dans la boue.

Tout a ensuite paru sur le point de s'achever : l'opacité se défaisant peu à peu dans la tranchée, une sorte de calme y revenait, même si d'autres détonations énormes, solennelles, sonnaient encore tout autour d'elle mais à distance, comme en écho. Les épargnés se sont relevés plus ou moins constellés de fragments de chair militaire, lambeaux terreux que déjà leur arrachaient et se disputaient les rats, parmi les débris de corps çà et là – une tête sans mâchoire inférieure, une main revêtue de son alliance, un pied seul dans sa botte, un œil.

Le silence semblait donc vouloir se rétablir quand un éclat d'obus retardataire a surgi, venu d'on ne sait où et on se demande comment, bref comme un post-scriptum. C'était un éclat de fonte en forme de hache polie néolithique, brûlant, fumant, de la taille d'une main, non moins affûté qu'un gros éclat de verre. Comme s'il s'agissait de régler une affaire personnelle sans un regard pour les autres, il a directement fendu l'air vers Anthime en train de se redresser et, sans discuter, lui a sectionné le bras droit tout net, juste au-dessous de l'épaule.

Cinq heures après, à l'infirmerie de campagne, tout le monde a félicité Anthime. Tous ont montré comme on lui enviait cette bonne blessure, l'une des meilleures qu'on pût imaginer – grave, certes, invalidante mais au fond pas plus que tant d'autres, désirée par chacun car étant de celles qui vous assurent d'être à jamais éloigné du front. L'enthousiasme était tel chez les copains accoudés sur leurs brancards, agitant leur képi – du moins ceux qui, pas trop amochés, en étaient capables –, qu'Anthime n'a presque pas osé se plaindre ni crier de douleur, ni regretter son bras dont il n'avait d'ailleurs pas bien conscience de la disparition. Pas bien conscience en vérité non plus de cette douleur ni de l'état du monde en général, pas plus qu'il n'a envisagé, voyant les autres sans les voir, de ne jamais pouvoir s'accouder lui-même que d'un côté, dorénavant. Une fois sorti de son coma puis de ce qui tenait lieu de bloc opératoire, les yeux ouverts mais fixés sur nulle part, il lui a juste semblé sans trop savoir pourquoi, vu ces rires, qu'il devait y avoir lieu de se réjouir. Lieu au point d'avoir presque honte de son état, sans bien savoir pourquoi non plus : comme s'il réagissait mécaniquement aux ovations de l'infirmerie, pour s'y accorder il a produit un rire en forme de long spasme qui a sonné comme un hennissement, faisant taire aussitôt tout le monde, avant qu'une solide injection de morphine le ramenât à l'absence des choses.

Et six mois plus tard, la manche pliée de son veston fixée sur son flanc droit par une épingle à nourrice, une autre épingle fixant une croix de guerre neuve de l'autre côté de sa poitrine, Anthime se promenait sur un quai de la Loire. C'était encore dimanche et il avait passé son bras restant sous le bras droit de Blanche qui, de la main gauche, poussait un landau contenant Juliette endormie. Anthime était vêtu de noir, Blanche en deuil également, tout s'accordant plutôt à cette couleur autour d'eux par des touches de gris, de marron, de vert wagon, sauf les dorures ternies des boutiques qui reluisaient vaguement sous le soleil de juin. Anthime et Blanche conversaient peu, sauf à évoquer brièvement les nouvelles parues dans la presse : tu auras au moins évité Verdun, venait-elle de lui dire sans qu'il jugeât opportun de répondre.

Au bout de près de deux ans de combats, le recrutement accéléré ponctionnant le pays sans cesse, il se trouvait encore moins de monde dans les rues, qu'on fût dimanche ou pas. Même plus beaucoup de femmes ni d'enfants, vu la vie chère et le mal à faire ses courses : les femmes, ne touchant au mieux que l'allocation de guerre, avaient dû trouver du travail en l'absence des maris et des frères : affiches à coller, courrier à distribuer, tickets à poinçonner ou locomotives à conduire quand elles ne se retrouvaient pas en usine, spécialement dans celles d'armement. Et les enfants, n'allant plus à l'école, avaient aussi de quoi pas mal s'occuper : très recherchés dès l'âge de onze ans, ils remplaçaient leurs aînés dans les entreprises et, tout autour de la ville, dans les champs – mener les chevaux, battre les céréales ou garder le bétail. Restaient pour l'essentiel des vieillards, des obscurs, quelques invalides comme Anthime et quelques chiens tenus en laisse ou pas.

Il est arrivé qu'un de ces chiens non entravés, sexuellement provoqué par un semblable de l'autre côté du quai de la Fosse, vînt maladroitement se fourvoyer dans son rut contre une roue du landau, qu'un instant son élan a failli déséquilibrer, aussitôt dissuadé par un vif coup d'escarpin de Blanche et filant en couinant. Après s'être assuré que la jeune femme avait repris la situation en main, vérifiant que sa nièce ne s'était pas réveillée, Anthime a suivi des yeux l'animal désolé, tirant maintenant des bords à droite à gauche, son érection maintenue mais à présent pour rien, l'objet de son désir s'étant évaporé pendant cet incident, avant de disparaître au coin de la rue de la Verrerie.

12

Anthime en aurait beaucoup vu, des animaux, toute sorte d'entre eux pendant ces cinq cents jours. Car si la guerre frappe électivement les villes qu'elle assiège, envahit, bombarde, incendie, elle se déroule aussi beaucoup à la campagne où l'on sait que les bêtes ne manquent pas.

D'abord les animaux utilitaires : ceux qu'on fait travailler ou qu'on mange ou les deux, livrés à eux-mêmes après que les paysans avaient fui leurs exploitations devenues zones de combats, abandonnant fermes en flammes et champs cratérisés, laissant bétail et basse-cour derrière eux. Il revenait en principe aux compagnies territoriales de s'en emparer pour les centraliser, mais leur tâche n'était pas si facile avec les bovidés en déshérence, lorgnant bientôt vers un retour à l'état sauvage qui les rendait vite susceptibles, spécialement les taureaux imprenables car vindicatifs. Ce n'était pas une mince affaire pour les territoriaux, même pour ceux d'extraction rurale, de regrouper les moutons partis vagabonder sur des restants de routes, les porcs à la dérive, les canards, poules, poulets et coqs en voie de marginalisation, les lapins sans domicile fixe.

Ces espèces devenues errantes pouvaient au moins servir, à l'occasion, d'appoint à l'ordinaire peu varié de la troupe. Tomber un bon jour, par hasard, sur une oie déboussolée changeait un peu de la soupe froide, du singe en boîte et du pain de la veille – le vin n'étant plus un problème car à présent largement distribué par l'intendance avec l'eau-de-vie, dans l'idée de plus en plus cultivée par l'état-major selon laquelle enivrer le soldat concourt à amplifier son courage et, surtout, diminue la conscience de sa condition. Tout animal récupéré devenait ainsi en puissance un festin. Il arriva même que, poussés par la faim, techniquement assistés par Padioleau qui retrouvait plaisir à exercer sa vocation bouchère, Arcenel et Bossis taillassent quelques côtes à même un bœuf vivant, sur pied, le laissant ensuite se débrouiller seul. On en vint à abattre et dévorer sans état d'âme des chevaux désœuvrés, désemparés, de toute façon privés de but dans la vie désormais, peinés de n'avoir plus de chalands à haler sur le canal de la Meuse.

Il n'y avait pas cependant que les animaux utiles et comestibles dont on faisait de temps en temps la rencontre. On en croisait aussi de plus familiers, domestiques voire décoratifs, et davantage habitués à leur confort : chiens et chats privés de maîtres après l'exode civil, sans colliers ni la moindre écuelle de pitance quotidienne garantie, en voie d'oublier jusqu'aux noms qu'on leur avait donnés. C'étaient aussi les oiseaux en cage, les volatiles d'agrément comme les tourterelles, voire purement ornementaux tels les paons, par exemple – que d'ordinaire personne ne mange et qui de toute façon, vu leur sale caractère et leur foutu narcissisme, n'auraient plus aucune chance de s'en sortir par eux-mêmes. De tout ce genre de bêtes-là, généralement, le militaire n'avait pas l'idée spontanée de se nourrir, du moins au début. Il put cependant se produire qu'on souhaitât s'en accompagner – parfois pour quelques jours seulement – et que l'on adoptât, mascotte de compagnie, un chat errant sans but au détour d'un boyau.

Par contre existaient aussi, bondissant ou se terrant alentour du plan fixe, immobile, enlisé de la tranchée, des animaux indépendants – et là c'était encore une autre affaire. Dans les champs et dans les forêts, avant que ceux-ci fussent rasés, dévastés par les tirs d'artillerie – champs transformés en perspectives martiennes, forêts devenues de vagues brosses édentées –, pour quelque temps encore vivaient ces francs-tireurs : jamais asservis par les hommes que ceux-ci se battent ou pas, libres de vivre à leur guise, soumis à nul code du travail. Parmi eux se trouvaient encore pas mal de corps comestibles, lièvres, chevreuils ou sangliers qui, promptement descendus au fusil bien que la chasse fût strictement interdite en temps de guerre, achevés à la baïonnette, débités à la hache ou au couteau de tranchée, fourniraient parfois à la troupe des compléments alimentaires providentiels.

Il en serait de même pour les grenouilles ou les oiseaux que l'on pouvait traquer puis abattre pendant la relève, pour toute espèce de truites, carpes, tanches ou brochets que l'on pêchait à la grenade quand on cantonnait près d'un cours d'eau, pour les abeilles si par miracle on tombait sur une ruche pas tout à fait désaffectée. Restaient enfin les marginaux, dont on ne sait pas au juste quel interdit les a déclarés immangeables tels que le renard, le corbeau, la belette ou la taupe : avec ceux-là, s'ils étaient pour d'obscurs motifs jugés impropres à la consommation, il apparut qu'on devint à cet égard de moins en moins regardant et qu'on put quelquefois, moyennant un ragoût, réhabiliter le hérisson. Cependant, comme les autres, on les verrait bientôt peu souvent après l'invention puis l'application généralisée des gaz sur tout le théâtre des opérations.

Mais il n'y a pas que manger dans la vie. Car dans l'ordre animal, en cas de conflit armé, figuraient aussi des éléments incomestibles parce que potentiellement guerriers, recrutés de force par l'homme puisque aptes à rendre des services – tels que d'autres chevaux, chiens ou colombidés militarisés, les uns montés par des gradés ou tirant des fourgons, d'autres affectés à l'attaque ou à la traction des mitrailleuses et, du côté volatile, des escouades de pigeons globe-trotteurs promus au rang de messagers.

Des bêtes il y en avait enfin, hélas, surtout, d'innombrables de plus petite taille et de plus redoutable nature : toute sorte de parasites irréductibles et qui, non contents de n'offrir aucun appoint nutritionnel, s'alimentaient au contraire eux-mêmes voracement sur la troupe. Les insectes d'abord, puces et punaises, tiques et moustiques, moucherons et mouches qui s'installaient par nuées dans les yeux – pièces de choix – des cadavres. De tous ceux-ci l'on aurait pu encore s'accommoder mais l'un des adversaires majeurs, très vite, devint incontestablement le pou. Principal et proliférant, de ce pou et de ses milliards de frères on serait bientôt entièrement recouverts. Lui se révéla bientôt le perpétuel adversaire, l'autre ennemi capital étant le rat, non moins vorace et tout aussi grouillant, comme lui se renouvelant sans cesse, de plus en plus gros et prêt à tout pour dévorer vos vivres – même pendus préventivement à un clou –, grignoter vos courroies, s'attaquer jusqu'à vos chaussures voire carrément à votre corps quand il est endormi, et disputant aux mouches vos globes oculaires quand vous êtes mort.

Ne fût-ce qu'à cause de ces deux-là, le pou, le rat, obstinés et précis, organisés, habités d'un seul but comme des monosyllabes, l'un et l'autre n'ayant d'autre objectif que ronger votre chair ou pomper votre sang, de vous exterminer chacun à sa manière – sans parler de l'ennemi d'en face, différemment guidé par le même but –, il y avait souvent de quoi vous donner envie de foutre le camp.

Or on ne quitte pas cette guerre comme ça. La situation est simple, on est coincés : les ennemis devant vous, les rats et les poux avec vous et, derrière vous, les gendarmes. La seule solution consistant à n'être plus apte, c'est évidemment la bonne blessure qu'on attend faute de mieux, celle qu'on en vient à désirer, celle qui (voir Anthime) vous garantit le départ, mais le problème réside en ce qu'elle ne dépend pas de vous. Cette bienfaisante blessure, certains ont donc tenté de se l'administrer eux-mêmes sans trop se faire remarquer, en se tirant une balle dans la main par exemple, mais en général ils ont échoué : on les a confondus, jugés puis fusillés pour trahison. Fusillé par les siens plutôt qu'asphyxié, carbonisé, déchiqueté par les gaz, les lance-flammes ou les obus des autres, ce pouvait être un choix. Mais on a aussi pu se fusiller soi-même, orteil sur la détente et canon dans la bouche, une façon de s'en aller comme une autre, ce pouvait être un deuxième choix.

13

Une troisième solution serait trouvée par Arcenel, sans qu'il l'eût d'ailleurs vraiment choisie, sans préméditation mais sous l'effet d'une impulsion : juste un état d'âme, produisant en chaîne un moment d'humeur puis un mouvement. L'origine de cette chaîne, c'est qu'à la fin du mois de décembre, Bossis mort et Anthime évacué, Arcenel n'a pas retrouvé Padioleau non plus. Il l'a cherché autour de lui, s'est renseigné tant qu'il pouvait, a même tenté d'en savoir plus auprès d'officiers cassants, méprisants, secrets : en vain. Arcenel en a pris son parti. Peut-être Padioleau était-il mort le même jour que Bossis, anonymement enseveli dans la boue sans que personne, dans la confusion, ne s'en fût ému. Peut-être avait-il été blessé comme Anthime, ramené comme lui dans ses foyers sans qu'on eût pris la peine d'en prévenir ses collègues – peut-être aussi, va savoir, déplacé dans une autre compagnie.

Quoi qu'il en fût, plus trace de Padioleau : ainsi privé de ses trois camarades, Arcenel s'est mis à la trouver mauvaise. La guerre n'était certes pas drôle mais encore à peu près vivable en leur compagnie, au moins pouvait-on se réunir et parler entre soi, échanger des points de vue, se disputer pour se réconcilier. Cela formait un noyau rassurant dont, malgré le danger de plus en plus évident, on ne voulait pas imaginer que l'existence pût s'interrompre. Bien qu'y pensant toujours vaguement, on s'était peu préparés à ce que cela s'arrêtât pour de bon et que l'on se retrouvât dispersés : on n'avait pris aucune espèce de précaution sociale, jamais envisagé de se faire des amitiés de rechange.

Donc Arcenel s'est retrouvé seul. Il a bien essayé, dans les semaines et les mois qui ont suivi, de nouer des contacts dans la troupe, mais c'était toujours un peu artificiel et d'autant moins facile que, les quatre hommes ayant été repérés comme tendant à faire bande à part, on lui a un peu fait payer cette attitude en l'ignorant – même si jusqu'à la fin de l'hiver, vu les conditions rudes, une solidarité tenait encore entre tous au sein de la compagnie. Mais au printemps, les beaux jours revenant en traînant les pieds, d'autant plus que les combats ne mollissaient pas, des groupes se sont reconstitués dans lesquels Arcenel n'a pas trouvé sa place. C'est ainsi qu'un matin, sous l'effet d'un coup de cafard, comme on se trouvait au repos près du village de Somme-Suippe et reprenait son souffle avant de regagner la première ligne, Arcenel est parti faire un tour.

Juste un tour, un moment, à la faveur des procédures anti-typhoïdiques. Au rappel du vaccin, Arcenel s'étant fait piquer en tout début de séance grâce à la priorité alphabétique de son nom, il a profité de ce que tout le monde faisait la queue, chacun exposant discrètement sa fesse à la seringue en frissonnant, pour s'écarter tout aussi discrètement sans avoir rien prévu, sans plan particulier. Il est sorti du camp, faisant un signe évasif à la sentinelle comme s'il allait juste pisser contre un arbre, ce qu'il a d'ailleurs fait tant qu'il y était, mais ensuite il a continué. Puis un chemin s'est présenté, qu'il a suivi pour voir, avant de bifurquer dans un autre puis un autre sans projet précis, avançant machinalement dans la campagne sans réelle intention de s'éloigner.

Se laissant plutôt aller à surveiller les signes du printemps – c'est toujours émouvant à observer, le printemps, même quand on commence à connaître le système, c'est une bonne façon de se changer les idées –, Arcenel s'est montré tout aussi attentif au silence, silence à peine teinté par les grondements du front jamais si loin, et qui ce matin tendaient d'ailleurs à s'atténuer. Silence certes imparfait, pas complètement retrouvé mais presque, et presque mieux que s'il était parfait car griffé par les cris d'oiseaux qui l'amplifiaient en quelque sorte et qui, faisant forme sur fond, l'exaltaient – comme un amendement mineur donne sa force à une loi, un point de couleur opposée décuple un monochrome, une infime écharde confirme un lissé impeccable, une dissonance furtive consacre un accord parfait majeur, mais ne nous emballons pas, revenons à notre affaire.

Sont apparus des animaux, toujours, semblant avoir à cœur de représenter leur syndicat : un rapace haut dans le ciel, un hanneton posé sur une souche, un lapin furtif, qui a surgi d'un buisson et fixé Arcenel une seconde avant d'aussitôt détaler, mû par un ressort, sans que l'homme eût le réflexe d'épauler son fusil qu'il n'avait d'ailleurs pas pris avec lui, n'ayant même pas emporté sa gourde – preuve qu'il n'avait nullement prémédité de quitter la zone militaire, étant uniquement mû par l'idée de se promener un peu, de s'abstraire un moment de l'affreux merdier en n'espérant même pas – car n'y pensant même pas – que cette promenade passerait inaperçue, oubliant que les hommes étaient recomptés à tout instant, qu'on refaisait leur appel en permanence.

Passé un tournant, le quatrième chemin

s'évasait en clairière herbue, tapissée de lumière fraîche que les feuilles en s'entrouvrant filtraient, délicat tableau. Mais dans un coin de ce tapis se tenaient trois hommes à cheval, en uniforme serré bleu clair, torse droit, regard sévère, moustache brossée, braquant sur Arcenel trois exemplaires du revolver 8 mm modèle 1892 en le sommant de présenter son livret militaire, mais il ne l'avait pas emporté non plus. On lui a demandé son matricule et son appartenance qu'il a récités par cœur, section, compagnie, bataillon, régiment, brigade, en aimant mieux croiser le regard attentif, doux, profond des chevaux que celui des gendarmes. On ne lui a même pas demandé ce qu'il faisait là : on lui a lié les mains derrière le dos et intimé l'ordre de suivre, à pied, la brigade équestre.

Les gendarmes, Arcenel aurait dû y penser tant on les détestait dans les cantonnements, presque autant sinon plus que les types d'en face. Leur tâche étant au début simple – éviter que le soldat se défile, veiller à ce qu'il aille bien se faire tuer comme il faut –, ils formaient pendant les combats, derrière les troupes, des lignes de barrage pour briser les mouvements de panique et enrayer les replis spontanés. Bientôt ils avaient pris le contrôle de tout, intervenant où bon leur chantait, maintenant l'ordre le long des voies dans la confusion liée aux remous des hommes, assurant la police dans toute la profondeur de la zone des armées, tant à l'avant que dans les étapes.

Chargés de vérifier les titres des permissionnaires et de surveiller tout ce qui tentait de franchir les limites imparties aux unités – principalement les épouses et les putes qui cherchaient pour diverses raisons à rejoindre les hommes, mais aussi plus indulgemment les commerçants de toute sorte qui, vendant tout à prix d'or, proliféraient de plus en plus âprement comme d'autres parasites sur le dos du soldat –, les gendarmes traquaient aussi les retardataires, ivrognes et émeutiers, espions et déserteurs, catégorie dans laquelle Arcenel venait sans le savoir ni le vouloir de s'inscrire. C'est ainsi que, de retour au cantonnement, il a passé le reste du jour puis la nuit dans la remise à pompe verrouillée de Somme-Suippe, sans eau ni pain, pour comparaître le lendemain matin devant le conseil de guerre.

On a poussé plus qu'introduit Arcenel dans l'école du village, où ce tribunal improvisé siégeait dans la plus grande salle de classe : une table et trois chaises, en face un tabouret pour l'accusé. Un drapeau national froissé derrière les chaises, un code de justice militaire sur la table avec des formulaires en blanc. Ces chaises étaient occupées par trois hommes composant la cour, le commandant de régiment flanqué d'un sous-lieutenant et d'un adjudant-chef, qui ont regardé entrer Arcenel sans rien dire. Moustache, cambrure et regard semblablement gelés, ces hommes lui ont paru identiques à ceux de la veille, montés sur leurs chevaux dans la clairière : l'heure étant grave et le manque d'effectifs préoccupant, force avait peut-être été de recruter les trois mêmes comédiens pour cette scène, leur laissant juste le temps de changer d'uniforme.

Quoi qu'il en fût, tout est allé très vite. Après un sommaire exposé des faits, un coup d'œil de pure forme sur le code, un regard échangé entre eux, les officiers ont voté à main levée et condamné Arcenel à mort pour désertion. La sentence était applicable dans les vingt-quatre heures, le conseil se réservant le droit de refuser la demande de grâce – dont l'idée n'est même pas venue se formuler à l'esprit d'Arcenel, avant qu'on le reconduisît dans la remise à pompe.

L'exécution a eu lieu le lendemain près de la grande ferme de Suippe, à la butte de tir, sous les yeux du régiment réuni. On l'a fait s'agenouiller devant six hommes en ligne au garde-à-vous et l'arme au pied parmi lesquels, à quatre ou cinq mètres de lui, il a identifié deux connaissances essayant tant bien que mal de regarder ailleurs, avec un aumônier divisionnaire en arrière-plan. Entre eux et lui, de profil, un adjudant commandant le peloton manipulait un sabre. Après que l'aumônier a fait son petit travail et qu'on a bandé les yeux d'Arcenel, il n'a donc pas vu ses connaissances épauler leur fusil en avançant le pied gauche, pas vu l'adjudant lever son sabre, il l'a juste entendu crier quatre ordres brefs, le quatrième étant feu. Puis après le coup de grâce, à la fin de la cérémonie, un défilé devant son corps a été ordonné de sorte que ce verdict fît méditer la troupe.

14

Au retour d'Anthime, on l'avait étroitement surveillé pendant sa convalescence, on l'avait soigné, pansé, lavé, nourri, on avait contrôlé son sommeil. On, c'est-à-dire surtout Blanche qui d'abord lui a reproché doucement d'avoir maigri pendant ses cinq cents jours de front – sans même songer à décompter, à cet égard, les trois kilos et demi en moins que représente à peu près un bras perdu. Puis une fois qu'il a paru bien remis, parfois même retrouvant brièvement le sourire – quoique de la seule commissure gauche, comme si la droite s'alliait au membre supérieur –, quand il a pu reprendre une vie autonome à son domicile, Blanche s'est demandé avec ses parents ce qu'on allait bien pouvoir faire de lui.

Certes l'armée lui verserait une pension mais on le voyait mal rester inactif, il convenait de l'occuper. Supposant que sa mutilation ne lui permettrait plus d'exercer sa fonction de comptable avec la même dextérité, Eugène Borne a trouvé une idée pour le distraire. En attendant qu'Eugène lui cédât la place, Charles avait assuré la sous-direction de l'usine avant les événements, puis sa mort brusque avait laissé pendante la question de la succession. Eugène, en différant le moment de la résoudre, avait donc mis au point une sorte de gouvernement d'entreprise, comité directeur dont il assurait la présidence et qui lui évitait de prendre seul toutes les initiatives et surtout les responsabilités. Aux réunions hebdomadaires de cette direction collégiale, où figuraient déjà Monteil, Blanche et Mme Prochasson, Eugène a décidé d'associer Anthime en hommage à son frère héroïque et pour services rendus à la firme, assaisonnant sa participation de jetons de présence. Rythmant assez la vie d'Anthime sans la contraindre, cela consistait en peu de chose mais c'était toujours ça : siéger, donner son avis – sans être plus tenu d'en avoir un qu'on ne le fût de l'écouter –, voter et signer des papiers sans forcément les avoir lus, tâche qu'il a promptement appris à exécuter de la main gauche. Il semblait à ce propos que l'on s'inquiétât plus de son état d'invalide qu'il n'avait l'air de s'en soucier lui-même, car jamais il n'évoquait l'absence de son bras.

S'il n'en parlerait pas, c'est que d'abord il est presque trop vite arrivé à le chasser de son esprit – sauf chaque matin où, s'éveillant, il le chercherait mais pas plus d'une seconde. Devenu gaucher par force, il s'y est adapté sans état d'âme : s'étant contraint avec succès à écrire de sa main restante – et tant qu'il y était à dessiner aussi, et de plus en plus, ce qu'il n'avait jamais fait avec la droite –, il a renoncé sans regret à certaines pratiques devenues inaccessibles, comme peler une banane ou nouer ses lacets. Côté banane, n'ayant jamais été friand de ce fruit d'ailleurs récent sur le marché, Anthime l'a remplacé sans mal par tant d'autres à peau comestible. Côté lacets, il n'a pas eu de mal à dessiner puis se faire fabriquer à l'usine un prototype de chaussures destiné à son usage exclusif, donc d'abord en modèle unique – avant qu'une fois la paix revenue, quand les hommes se remettraient à marcher légèrement, ce modèle produit en série fût appelé à connaître un succès commercial sous le nom de mocassin Pertinax.

Anthime a dû renoncer aussi, quand il devait réfléchir, patienter, se donner une contenance ou se montrer préoccupé, aux postures classiques consistant à croiser les bras ou réunir ses mains dans le dos. Il a cependant continué de les esquisser instinctivement, d'abord, ne se rappelant qu'au dernier moment que l'intendance ne suivait pas. Mais une fois son parti de manchot enfin pris, Anthime n'a pas capitulé pour autant, usant de sa manche droite vide comme d'un bras imaginaire, l'enroulant autour de son bras gauche sur sa poitrine ou l'attrapant dans le dos par son poignet et s'y accrochant. Tout pris que fût ce parti, lorsque machinalement il s'étirait à son réveil, il étirait aussi dans son esprit le membre disparu – ce qu'attestait alors un mouvement discret de l'épaule droite. Puis une fois l'œil ouvert, une fois jugé qu'il y aurait peu de choses à faire dans la journée, il n'était pas rare qu'il se rendormît après s'être éventuellement masturbé – ce qui, de la main gauche, a été un problème vite résolu.

Désœuvrement fréquent, donc, que pour combler autant que possible Anthime s'est entraîné à feuilleter d'une seule main son journal et même à battre un jeu de cartes avant d'entreprendre une réussite. Parvenant à coincer enfin ses atouts sous le menton, il lui faudrait un peu plus de temps pour se risquer à jouer à la manille en silence au Cercle républicain avec d'autres éclopés retour du front comme lui – tous s'accordant à préférer ne jamais évoquer ce qu'ils y avaient vu. Anthime jouait certes plus lentement que les culs-de-jatte ou les unijambistes, mais aussi moins que les gazés qui ne disposaient pas de cartes en braille. Puis comme on lui proposait toujours de l'aider, comme on en profitait pour regarder son jeu, il a fini par en avoir marre et a laissé tomber ces réunions du Cercle.

L'ennui de ces semaines, alors, la solitude, Anthime a eu un jour, devant la cathédrale, le sentiment soudain qu'ils pourraient s'alléger quand son regard, flottant sur les piétons et la chaussée, est distraitement remonté le long d'une canne qui tâtonnait sur le trottoir d'en face pour aboutir à une paire de lunettes. Ces cannes n'étaient pas encore blanches, on ne les peindrait de cette couleur qu'après la guerre, ni ces lunettes tout à fait noires, mais pas assez fumées pour empêcher Anthime de reconnaître derrière elles le visage de Padioleau. Guidé par sa mère qui le tenait par le bras, aveuglé par un gaz au parfum de géranium et rentré du front presque en même temps qu'Anthime, Padioleau a aussitôt reconnu la voix de celui-ci.

Mais la joie de se retrouver n'a pas duré longtemps. Il est vite apparu à Anthime que, sans sa vue, Padioleau n'avait pas non plus le cœur à grand-chose. Privé de l'exercice de son métier, n'ayant jamais imaginé d'alternative à l'art, la science et la manière de découper la viande, l'absence d'une possible reconversion le réduisait à zéro, le désespérait, sans rien pouvoir envisager ni se réconforter avec l'idée que certains surmontent leur invalidité, et ce dans nombre de domaines, jusque dans les professions les plus sophistiquées où parfois même ils touchent au génie – mais il est aussi vrai que parmi les aveugles on croise moins souvent de bouchers que de pianistes.

Une fois ces deux hommes retrouvés, il a bien fallu tâcher de s'occuper ensemble. Le jeu de cartes étant exclu pour Padioleau, la lecture à haute voix du journal finissant par lasser Anthime, on s'est encore mis à pas mal s'ennuyer. Pour tenter de contrarier cet ennui, on a souvent évoqué celui qu'on éprouvait au front et qui, frangé de terreur, était quand même bien pire. On s'est distraits en se rappelant comment on avait pu justement s'y distraire, en évoquant les passe-temps qu'on y inventait. Tu te souviens ? Tu te souviens ?

Arcenel s'adonnait ainsi à des travaux de sculpture en bas-relief sur les veines de pierre blanche affleurant par endroits dans l'argile des tranchées. Bossis s'était intéressé à la fabrication de bagues, breloques, coquetiers avec l'aluminium récupéré sur les fusées d'obus des ennemis, le cuivre et le laiton sur leurs étuis de munition, la fonte sur leurs grenades-œuf et leurs grenades-citron. Fort de son expérience civile de la chaussure, Anthime avait commencé quant à lui par tailler des lacets dans les courroies abandonnées. Puis, l'idée lui étant venue d'utiliser ces mêmes courroies comme bracelets qui, noués puis munis d'un fermoir, permettaient de fixer au poignet les montres à gousset par soudures d'anses à midi et six heures, il avait ainsi cru inventer le bracelet-montre. Il caressait ensuite le magnifique projet de faire breveter cette invention à son retour – avant d'apprendre alors que cette idée avait été conçue dix ans plus tôt par Louis Cartier pour aider son ami Santos-Dumont, cet aviateur s'étant plaint de ne pouvoir extraire sa montre de sa poche en pilotant.

Oui, c'étaient malgré tout de bons moments. Même si l'épouillage était moins rigolo, c'était quand même un divertissement, entre les alertes, de traquer le pou pour le désincruster de sa peau, des plis de ses vêtements et ses sous-vêtements, distraction infinie mais provisoire et vaine car toujours de cet arthropode subsistaient les œufs innombrables et sans cesse renouvelés, que seul aurait pu faire éclater un bon repassage au fer bien chaud, accessoire non prévu dans les tranchées. Parmi les souvenirs plus marrants figurait par exemple, outre l'apprentissage des armes conventionnelles, celui plus empirique de la fronde, pour l'appliquer ensuite en balançant par-dessus les barbelés des boîtes de conserve pleines d'urine à l'attention des types d'en face. Comme avaient été, dans un autre registre, les concerts donnés par la musique du régiment, ou bien l'accordéon que le capitaine avait ordonné d'aller acheter à Amiens, faisant jouer tous les soirs de cet instrument au son duquel dansaient les ordonnances avec les agents de liaison. Ou comme avait encore été, les jours où c'était possible, la distribution du courrier – car ils en auraient beaucoup écrit, beaucoup reçu, énormément de cartes postales mais aussi bien des lettres parmi quoi le mot bref apprenant à Anthime la mort de Charles. Et il était trop tard maintenant pour que celui-ci profitât de l'annonce parue après deux mois de conflit mondial : « *Le Miroir* paie n'importe quel prix les documents photographiques relatifs à la guerre, présentant un intérêt particulier ».

15

On connaît la suite. Pendant la quatrième année de guerre, les offensives du printemps ont consommé en deux mois une très grande quantité de soldats. La doctrine de l'armée de masse exigeant la reconstitution permanente de gros bataillons, un rendement toujours plus élevé du recrutement, les appels de classes se sont succédé sans trêve, supposant un renouvellement considérable du matériel et des tenues – parmi lesquelles nombre de chaussures – et de fortes commandes adressées aux usines d'approvisionnement, dont Borne-Sèze a largement profité.

Le rythme et l'urgence de ces commandes, alliés au peu de scrupules des responsables de fabrication, ont rapidement conduit à la confection de brodequins discutables. On s'est montré de moins en moins regardant sur un cuir de qualité quelconque, optant souvent pour du mouton à tannage rapide, moins cher mais d'épaisseur et de conservation médiocres, pour tout dire au seuil du carton. On a systématisé la production de lacets à section carrée, plus faciles à fabriquer mais plus fragiles qu'à section ronde, en négligeant la finition de leurs embouts. On a mégoté de même sur le fil à coudre et, au cuivre des œillets, on a substitué un fer plus oxydable et le moins coûteux possible, de même pour les rivets, les chevilles, les clous. Bref on a réduit à l'extrême les frais de matériaux, au mépris de tout souci de robustesse et d'étanchéité.

L'intendance militaire a bientôt déploré le renouvellement trop fréquent de ces brodequins qui, prenant l'eau et se mettant à bâiller très vite, ne tenaient pas deux semaines dans la boue du front : trop souvent les coutures de leur tranche lâchaient au bout de trois jours. L'état-major ayant fini par se plaindre, une enquête a été diligentée : en inspectant les comptes des fournisseurs de l'armée, on a épluché ceux de Borne-Sèze qui ont vite révélé un écart abyssal entre le montant des commandes et le prix de revient des croquenots. La découverte d'une telle marge ayant produit un beau scandale, Eugène a feint de ne pas être au courant, Monteil a pris de grands airs en menaçant de démissionner, on a fini par s'en tirer en licenciant Mme Prochasson et son époux responsable des fournitures – qui ont accepté de porter le chapeau moyennant un aménagement. Tout a fini par s'étouffer à l'aide d'autres dessous-de-table – on est encore passé par les amis de Monteil – mais on n'a pas coupé à ce que les choses remontent jusqu'à Paris, où Borne-Sèze devrait comparaître quand même devant un tribunal de commerce : ce serait une procédure de pure forme, mais il faudrait en passer par là. Pour représenter l'entreprise dans la capitale, Eugène arguant de son âge et Monteil de sa clientèle pour se défiler, on a désigné Blanche qui a proposé d'être accompagnée par Anthime et tout le monde a dit oui.

Lequel Anthime, après son retour à la vie civile, s'était donc habitué à l'absence de son bras même si, confusément, il vivait comme s'il l'avait toujours, présent comme s'il était vraiment là, qu'il lui semblait d'ailleurs toujours apercevoir quand il jetait un bref coup d'œil sur le côté droit de son buste, ne revenant à la réalité de son absence que lorsque son regard s'appesantissait. Supposant d'abord que ces effets s'atténueraient peu à peu avant de disparaître, il lui est apparu bientôt que le contraire était en train de se produire.

Au bout de quelques mois il a senti renaître en effet un bras droit imaginaire mais d'allure tout aussi réelle que le gauche. L'existence de ce bras, voire son autonomie, s'est de plus en plus manifestée par diverses sensations pénibles et lancinantes, brûlures, contractions, crampes ou démangeaisons – Anthime devant se retenir au dernier moment pour ne pas se gratter –, sans parler de sa vieille douleur au poignet. L'impression de réalité était intense et détaillée, jusqu'à la perception de sa chevalière alourdissant son petit doigt, et les souffrances capables de s'aggraver au gré des circonstances : coups de cafard ou changements de temps, surtout quand celui-ci était humide et froid comme il arrive aux arthritiques.

Ce bras absent parfois devenu encore plus présent que l'autre, insistant, vigilant, ricaneur comme une mauvaise conscience, il paraissait possible à Anthime de lui faire produire des mouvements volontaires, accomplissant des gestes dérisoires ou décisifs mais que personne ne voyait : il avait ainsi la vraie certitude de pouvoir s'accouder sur un meuble, serrer son poing, contrôler ses doigts distincts les uns des autres, allant jusqu'à tenter de décrocher un téléphone ou d'esquisser un geste d'adieu – agitant ou croyant agiter la main droite lors d'un départ, ce qui le faisait juger inaffectif à ceux qui le quittaient.

Comme également soumis à deux convictions opposées, Anthime avait en même temps tout à fait conscience de ces anomalies, craignant que cela se vît et que, par compassion, personne n'osât lui en faire la remarque – lui-même n'osant pas s'en ouvrir à Padioleau qui était précisément le seul, dans son entourage, à ne pas pouvoir observer ces troubles. Lesquels, ne cessant d'empirer en compliquant son existence, ont fini par devenir trop envahissants pour qu'Anthime pût longtemps les affronter solitairement, les ressasser sans recourir à autrui. S'étant enfin résolu à en faire part à Blanche, celle-ci a reconnu qu'elle s'en était bien rendu compte et a naturellement encouragé Anthime à consulter Monteil.

Il s'est donc retrouvé chez le praticien, lui expliquant les choses en montrant de la main gauche l'absence de son bras droit comme on désigne un témoin muet, complice un peu honteux d'être là – cependant que Monteil, l'air pénétré, considérait en l'écoutant la fenêtre de son cabinet dans le cadre de laquelle, toujours, rien ne passait. Anthime ayant présenté son cas, Monteil a ménagé un temps puis s'est fendu d'un petit discours. Ce sont des choses fréquentes, a-t-il exposé, et dont bien des récits témoignent. C'est le vieux coup du membre fantôme. Il arrive que demeurent la conscience et la sensation d'une partie du corps perdue, puis qu'elles disparaissent au bout de quelques mois. Mais il advient aussi, et il semblait que ce fût le cas d'Anthime, que la présence de ce membre revienne dans l'organisation du corps longtemps après sa perte.

Le docteur a ensuite classiquement développé ce discours à l'aide de rappels statistiques (le membre supérieur droit est, pour huit sur dix d'entre nous, le plus habile), d'anecdotes historiques (l'amiral Nelson ayant perdu son bras droit à Santa Cruz de Tenerife, puis ressenti les mêmes souffrances qu'Anthime, voyait en elles une preuve de l'existence de l'âme), de plaisanteries médiocres (c'est à l'annulaire de la main gauche qu'on installe une alliance, laquelle a besoin de la droite pour être enlevée : tout le problème du manchot infidèle), de comparaisons glaçantes (certains amputés du pénis ont fait part d'érections et d'éjaculations fantômes), de franchise clinique (l'origine de ces douleurs est aussi mystérieuse que le phénomène lui-même) et de perspectives mi-rassurantes (ça va passer tout seul, généralement ça diminue avec le temps) mi-inquiétantes (cela peut quand même aussi vous prendre vingt-cinq ans, ça s'est vu).

Et Paris, au fait, a conclu Monteil, vous y allez quand avec Blanche ? Et la semaine suivante ils arrivaient à la gare Montparnasse après qu'Anthime, dans le train, eut lu les journaux à fond. Il n'avait plus voulu, retour du front, s'intéresser aux événements, du moins n'avait-il plus manifesté la moindre attention à la presse – bien qu'en douce il la feuilletât parfois – mais là, dans leur compartiment, il a emprunté les quotidiens à Blanche et s'est plongé dans l'actualité de ce temps : la guerre au premier chef. Nous traversions donc sa quatrième année, après l'affaire spécialement meurtrière du Chemin des Dames, la situation russe qui donnait des idées aux hommes et les premières mutineries. Anthime a lu tout cela très attentivement.

Blanche avait réservé deux chambres à l'autre bout de Paris, dans un hôtel tenu par des cousins, et à Montparnasse on a pris un taxi. Comme cette voiture passait devant la gare de l'Est, on a distingué des partis de permissionnaires qui se croisaient, revenant de se battre ou y retournant. Ces hommes paraissaient agités, peut-être ivres mais véhéments, l'air en colère, entonnant des couplets qu'on n'entendait pas bien. Anthime a demandé au chauffeur d'arrêter un instant l'automobile, il en est descendu pour s'approcher du grand hall puis est resté un moment à observer ces groupes. Certains d'entre eux chantaient faux des refrains séditieux, parmi lesquels Anthime a reconnu L'Internationale – qui s'ouvre martialement par un intervalle de quarte ascendante comme pas mal d'hymnes et de chants guerriers, patriotiques ou partisans. Son visage est demeuré inexpressif, tout son corps immobile, cependant qu'il a levé le poing droit par solidarité, mais personne ne l'a vu faire ce geste.

Arrivés à l'hôtel, les cousins leur ont indiqué leurs chambres en vis-à-vis : on y a déposé les bagages, s'y est donné un coup de peigne et lavé les mains, puis on est ressortis faire un tour avant d'aller dîner. Plus tard, chacun s'étant retiré, tout laissait supposer qu'on allait dormir chacun de son côté sauf qu'au milieu de la nuit Anthime s'est réveillé. Il s'est levé, a traversé le couloir, poussé la porte en face, s'est dirigé dans le noir vers le lit de Blanche qui ne dormait pas non plus. Il s'est couché près d'elle et l'a prise dans son bras, puis il l'a pénétrée avant de l'inséminer. Et à l'automne suivant, précisément au cours de la bataille de Mons qui a été la dernière, un enfant mâle est né qu'on a prénommé Charles.

CET OUVRAGE A ÉTÉ MIS EN PAGES ET ACHEVÉ D'IMPRIMER LE QUINZE MAI DEUX MILLE DOUZE DANS LES ATELIERS DE NORMANDIE ROTO IMPRESSION S.A.S. À LONRAI (61250) (FRANCE)
N° D'ÉDITEUR : 5216
N° D'IMPRIMEUR : 124005

Dépôt légal : octobre 2012